# 40岁

岁

# 登上健康快车

## 洪昭光 著

漓江出版社

**图书在版编目（CIP）数据**

40岁登上健康快车/洪昭光著. —桂林：漓江出版社，2006.1
ISBN 7-5407-3554-6

Ⅰ.40… Ⅱ.洪… Ⅲ.中年人—保健—基本知识 Ⅳ.R161.6

中国版本图书馆CIP数据核字（2005）第156134号

## 40岁登上健康快车

| | | |
|---|---|---|
| 作　　者 | 洪昭光 | |
| 责任编辑 | 刘春荣 | |
| 美术编辑 | 罗　云 | |
| 责任校对 | 甘智洪　田芳 | |
| 责任监印 | 唐慧群 | |

出 版 人　李元君
出版发行　漓江出版社
社　　址　广西桂林市南环路22号
邮　　编　541002
发行电话　0773-2821573　2863978
传　　真　0773-2821268　2802018
邮购热线　0773-2821573
电子信箱　ljcbs@public.glptt.gx.cn
http://www.Lijiang-pub.com
印　　制　三河市汇鑫印务有限公司
开　　本　787×960　1/16
印　　张　17.25
字　　数　180千字
版　　次　2006年1月第1版
印　　次　2006年2月第3次印刷
印　　数　35 001—45 000册
书　　号　ISBN 7-5407-3554-6/G·1319
定　　价　24.80元

2005 年春节留念。

在厦门市鼓浪屿举办健康讲座时留影。

日常生活中的洪昭光。

洪昭光访冰心故居留影，照片中对联为梁启超所题："世事沧桑心事定，胸中海岳梦中飞。"洪昭光多次在健康讲座和报告中引用这副对联。

国家经贸委"洪昭光健康新观念报告会"现场。

洪昭光在北京中央党校中央国家机关分校局级干部进修班签名留影。

洪昭光接受邀请到国防科工委作健康讲座。

洪昭光在上海讲座现场。

"天津市领导干部保健知识讲座"中洪昭光演讲现场。

在成都讲座。（中国人寿成都分公司主办）

平安保险公司深圳分公司"洪昭光教授健康生活新观念深圳大型报告会"。

中国平安保险公司福州分公司"'相约平安·让健康伴随着你'洪昭光教授健康讲座"现场。

洪昭光教授与珠海市卫生局座谈健康教育。

在山东胜利油田讲座期间，抽空到当地医院参加会诊。

洪昭光在吉隆坡进行健康讲座。

洪昭光与马来西亚惟一的华裔副部长拿督陈财和在一起。

2003年3月，在马来西亚的吉隆坡华文书展上，读者都是一个人买几十本洪昭光的书。

学习洪昭光教授《健康快乐100岁》
哲思 妙语 汇编歌

2003.7.29

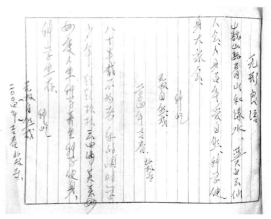

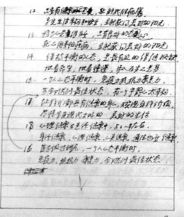

洪昭光讲座手抄本。

洪昭光（中）与武警总部领导座谈健康。

在全国干部保健会议上，洪昭光与卫生部保健局副局长王捍峰（左）合影。

　　与广西区党委书记曹伯纯（左三）、副书记刘奇葆（右一）合影。刘奇葆对洪昭光的健康报告大加赞赏："洪昭光教授的报告内容是把深奥的科学理论、复杂的医学知识乃至独特的医疗处方，通过生动幽默的语言娓娓道来，变成了普通人易懂易记的健康箴言，既普通浅易，又精辟入里。"

　　洪昭光与原卫生部部长钱信忠（中），在人民大会堂合影。

洪昭光在南昌市进行健康讲座，与江西省卫生厅厅长蒋如铭合影。

洪昭光在江苏常州进行健康讲座，与常州市委常委、组织部部长杭天珑合影。

洪昭光在江苏启东进行讲座，与启东市副市长沈风雷合影。

在厦门市讲座时，与热心听众王者兴（右）合影。

# 健康 100 岁　关键在中年

## ——洪昭光谈中年健康

## 健康是节约

当今，健康已成为人们最关心的热点话题之一，因为健康的成本越来越高，疾病的负担越来越重，而健康又是生活中最重要的元素。没有健康就没有小康，没有健康就没有一切。

那么，健康是什么呢？

从社会学意义上说，健康是一种节约，健康是一种和谐。

2001 年，我国卫生资源总消耗为 6140 亿元人民币，占当年 GDP6.4%，因病，因伤残，因过早死亡损失 7800 亿元，占 GDP8.2%，合计约为 14000 亿元，占 GDP14.6%。而近年来，其增长速度已远超过国民经济增长及居民实际收入增长速度。14000 亿元，这是什么概念呢？长江三峡工程举世闻名，15 年总投资才 2000 亿元；南水北调是跨世纪工程，50 年总投资才 5000 亿元。而健康问题一年损失上万亿元财富，这是多么惊人。而更为严重的是，健康问题带来了因病致贫、因病返贫和无法估量的肉体精神痛苦等社会问题。

人的生老病死正如花开花落一样，是大自然的循环，但人活要活得健康，死要死得明白。自然凋亡是无病无痛，无疾而终，平安百岁，快乐轻松。但大多数的人是病理死亡，即过早死亡：中年得病，肉体痛苦，精神折磨，身心煎熬，人财两空。

美国的研究表明：高超的医疗技术可以减少 10% 的过早死亡，而健康生活方式不用花多少钱可以减少 70% 的过早死亡。也就是说，大多数人可以通过自我保健达到健康百岁。我国的研究表明：1元的预防投入可以节省医药费 8.59 元。临床经验表明又可相应节约近百元的重症抢救费。

# 中年是关键

人生百岁大致可分三个阶段：30 岁前为青少年，30~60 岁为中年，60 岁以后为老年。

30 岁前，青年人精力充沛，慢性病很少。60 岁后，现今老年人已比较注意保健养生，衰老速度并不快。但在 30~60 岁期间，正是奋斗拼搏期，人与人之间的健康差异越拉越大，在 60 岁时，几乎不可同日而语。有的精神矍铄，有的风前残烛，有的已然过世。因此人生健康的差异取决于中年。

中年健康又取决于什么呢？

取决于对健康的观念。因为健康最大的敌人是自己。有了正确的观念，就能懂得健康在我不在天，自己是生命的主人。只要战胜自己的无知和愚昧，健康就在你手中。

不同的观念决定了对健康的四种态度：聪明人主动健康，投资健康，健康增值，一百二十；明白的人，关注健康，储蓄健康，健康保值，平安九十；无知的人，漠视健康，随心所欲，健康贬值，带病活到七十；糊涂的人，透支健康，提前死亡，生命缩水，五十六十。

世上没有免费的午餐，种瓜得瓜，种豆得豆，有付出才有回报。一些白领、骨干、精英，他们虽然拥有智商，却缺少健商，虽然学有所成，有房有车，却没有学会关爱自己，放飞心灵，结果一个个遗憾地死于无知。痛惜之余，还需再重温一下前世界卫生组织总干事中岛宏博士的话："许多人不是死于疾病，而是死于无知。""不要死于愚昧，不要死于无知。"正是："烦恼是想出来的，疾病是造出来的，肥胖是吃出来的，健康是走出来的。"

　　中年人该怎么办呢？

　　中年人要健康，必须抓住四句话：三十努力，四十注意，五十轻松，六十成功。就是说要早抓。30岁时就要努力培养健康理念和健康生活方式，"健康是1，其他是0"，"爱妻爱子爱家庭，不爱健康等于零"。40岁时，是转折点，发病危险性大增。男人四十，十面埋伏，谁来领路？女人和书。要多关注家庭，"早上出门牵牵手，神清气爽往前走；晚上回家牵牵手，一天劳累无忧愁"，多话聊，用"心"话聊，用"情"话聊，多看妻子，深情地看，据法国的研究经验，这样就可减少家庭的"亚健康"。

　　有一种观点：我爱上海牌男人，上海男人懂得生活。说的是上海男人特爱家，在家中男女平等，常早起送孩子，回家下厨房，家中其乐融融。

　　我认为，这是一种引领社会新潮流的健康时尚生活方式，是社会文明进步的表现。这与最近零点公司的调查结果相符。零点公司对北京、上海、广州、武汉、成都等七城市1888名18~60岁居民的调查发现同样趋势。婚姻家庭成为男人人生价值的重心，以"家"为贵的文化深入人心，在男人最珍惜的事情中，家人健康13.6%，家庭美满12.3%，好妻子10.5%，好职业8%，子女有出息4.3%。

　　结合其他研究，总起来说，中年健康的关键就是一、二、三。一是：态度第一，因为态度决定一切；二是：给健康以时间，给健康以空间；三是：好妻子，好孩子，好身子。这主要与心理和感情因素有关。

　　男性四十要格外注意饮食，我在《怎样活到100岁》里讲过的"一二三四五"以及"什么都吃，适可而止"、"一荤一素一菇，燕麦瓜果豆腐"，都只是个指南。由于我国膳食缺钙，中年人每日喝一袋牛奶对增强体质，防止骨质疏松很有必要。神舟六号航天员食谱中，每日晨晚各一袋牛奶，中午是酸奶（防止晚间喝时损伤牙齿），等于每天喝了三次牛奶。

　　"大长今"养生御膳风靡全国，其魅力主要在于文化，而不是技术。韩国御膳研究院院长韩福丽说，御膳的真谛是"美味出于诚心，佳肴出于双手"。她在教女主角李英爱时再三强调："诚心"是御膳最基本的要素。御膳的秘诀无他，就是用心，以诚意亲手调理食物就是最好的佳肴。家庭的厨房和晚餐，是营造幸福温馨的最好场所，远胜于鲜花和香水。

# 男人是难人

有一首老歌叫《随风飘荡》，有两句歌词："一个男人要走多少条路，才能将其称作男人；一个男人要多少次仰头，才能看得懂苍天；朋友，答案在风中飘荡。"

男人原是普通人，但被戴上"强者"的光环后，男人真的成了"难人"，不摘下光环，男人将永远是"难人"。

从基因学的观点看，男人与女人的基因有99.9%是一样的，男女的差别很有限，各有千秋，又都有七情六欲。但男人又真的很难，他们压力大，得病多；心气躁，死得早。统计表明：刚建国时，我国男性比女性平均寿命长3岁，而现在男性比女性平均寿命短4岁。短短50多年，男性寿命相对短了7年之多，并还在继续增多，而俄罗斯，男性寿命比女性短了13岁，为59岁比72岁。

男性的优势在古代的狩猎活动和田耕劳作上凸显，被称为强者，但在现代智力取胜的信息化社会里，男性优势已微乎其微。然而传统文化和社会习俗仍继续把男性定位为强者，男人必须更强，更快，更出色；男人要争强好胜，首屈一指，不服输；男人要跌倒了不哭，有痛苦不说，轻伤不下火线……结果使男人不得不"有泪不轻弹，有话不爱说，有病不去看，有家不爱回"，似乎不这样就不叫男人，不叫阳刚。

生活本是五味杂粮，酸甜苦辣，谁都会有委屈。但女人可以哭，女人一哭，人见人爱，女人越哭越显得小鸟依人更可爱；而男人一哭，不是窝囊就是废物，没有人觉得男人哭了更可爱。其次，女人有话可以说，女人爱唠叨，三个女人一台戏，女人唠叨是天经地义，而男人唠叨是没有出息。第三，女人有病就去看，男人有病拖着，挺着，扛着，到实在不行就倒下了。

男人的难正如刘德华在《男人哭吧不是罪》里所唱的："日日夜夜撑着面具睡，我心力交瘁……无形的压力压得我好累。"

这还不算，传统观念的"男强女弱"使成功女性也面临很大压力，她们不仅未能使其丈夫感到"妻贵夫荣"，反而让他们雪上加霜，上世纪芝加哥一项中年人群健康研究表明：妻子收入和地位高于丈夫的，丈夫的幸福度下降，而冠心病死亡率增高。

可见男人的难不是由男人造成，也不是由女人造成，而是由陈旧的传统观念造成的。

俄罗斯一位专家指出："随着性别研究在社会科学、社会反思中的应用，其影响将与基因的发现相媲美。"看来，男女实现社会观念的平等，真是一场伟大的转变。当男人不再是强者，女人不再是弱者，男人摘去光环，女人解脱桎梏，男女真正平等时，男人就获得了解放，不再是"难人"了。

# 坚持四个八

中年怎么会早逝呢？

大体上原因有三：一是过劳死，工作过重，时间过长，相当于汽车超载；二是过急死，工作生活压力大，心急气躁，相当于汽车超速；三是过累死，长期睡眠缺乏，疲惫不堪，相当于司机疲劳驾驶。一辆汽车超载、超速，又疲劳驾驶，事故概率必然大幅升高。

世界的规律是要和谐而不能走极端，因为物极必反。2400 多年前，古希腊哲学家欧里庇得斯说了一句至理名言，曾被后人多次引用，他说："上帝首先要毁灭那些走极端的人。"这是不以人的意志为转移的客观规律。

人生的事业、家庭、健康，犹如三足鼎立，都很重要，缺一不可。关键是把好度，把好平衡，这是生活的艺术。如果不能兼顾怎么办呢？那就应该学会正确地选择与舍弃，有舍才能有所得。事业固然很重要，但事业失败，可以再来；家庭更重要，婚姻失败就难以再来；而健康最重要，健康一去就永不再来。轻重缓急必须分清。如果过分执著于事业，过分聪明，什么都不肯放弃，那么就将如伯特芝·罗素所预言的："人类的过于聪明会成为毁灭自己的手段。"这样的悲剧不是一再发生吗？

怎样预防英年早逝呢？

美国白宫总统保健医生给布什总统所开的健康处方是：1.每周至少与夫人相处15个小时以上；2.每天至少与夫人相处2小时以上，还要包括一次共进晚餐或共进午餐；3.节假日，全家外出旅游，外出时尽量多的时间要夫妻手牵手。

我认为，中年人预防英年早逝的处方就是：给健康以时间，给健康以空间。

第一，在时间上，应该是8—4—4，即8小时睡眠，4小时生活，4小时其他。什么道理呢？因为"山洞研究"已证实，自然生物钟需要8小时睡眠，每少睡1小时死亡率增高9%。在4小时生活中，有2小时需要与家人共进晚餐和准备晚餐，1小时运动，1小时阅读或休闲。4小时其他包括上下班路程时间或自行安排，这样的安排符合生物规律。

第二，在空间上，除每日有运动的空间外，节假日要外出走走，回归自然，徜徉山水，从大自然母亲身上汲取心灵滋养，调谐身心。

现在物质丰富了，但不少人心灵困惑了，不懂得心理减压，不懂得休闲。以为休闲就是放纵，去酒吧狂欢，到饭店饕餮，要不就是搓麻将、上网；有的虽然去旅游，却还是关起门来聊天打牌，卡拉OK，与湖光山色、鸟语花香、身心放松无缘，迷失了快乐的方向，迷失了回归自然的本真。

中年人，应当坚持"四个八"：日行八千步，夜眠八小时，三餐八分饱，一天八杯水。

尤其是早起一杯凉水或温水，可以在 5 分钟内就从胃里直接吸收，20 分钟左右完全吸收，降低血黏度。水是生命和健康的源泉，又是防冻伤，防酷暑，保持正常血黏度的重要元素。饮八杯水，再保持每日 1500 毫升尿，能使肾脏作功耗能最少，保护肾功能。

# 学会慢生活

肩负生活、事业、家庭三副重担的中年人，一定要登高望远、看清方向。要记住一位老前辈的肺腑之言：少做多活是多做，多做少活是少做。横批是：实话实说。

在如今快节奏的社会状态中，要避免超载、超速和疲劳驾驶，就要学会"慢生活"，使自己心理生理阴阳平衡。在这一点上，八十高龄，精神矍铄、潇洒从容的金庸先生给了我们一个很好的回答："乐观豁达养天年。"金庸先生学识渊博，著作等身，但他不尚奢华，而是羡慕"且自逍遥没人管"的生活，饮食简单清淡，七八分饱，衣着自然简朴。他说："人要善于有张有弛。武侠小说打一会儿，就要吃饭，谈情说爱，不能老是很紧张，要像《如歌的行板》韵律一样，有快有慢。我们性子很缓慢，不着急，做什么都是徐徐缓缓，最后也都做好了，这样对健康很有好处。"徐徐缓缓的他做出了自己的事业，为表彰他的杰出贡献，2001 年国际天文学联合会把一颗小行星命名为"金庸星"。

当快节奏的生活成为生存所必须适应的规定模式，也许在人们的心底，对脚步不再匆忙、生活舒缓安逸的渴望已如山花般灿烂。所以，当"慢生活"的概念在 1989 年一出现，便迅速震动世界影响至今。

快节奏的城市生活可能带来的负面效应就是扭曲了生命和环境。因此，人们要从慢慢吃开始，抑制生活快节奏。这是国际慢餐协会对忙碌的现代人提出的忠告。国际慢餐协会是一个源于意大利，提倡放慢节奏，注重生活质量的协会。

与之相反的一种被医生称为"延缓幸福综合征"的心理疾患。患这种病的人，总是为没有充足时间去完成应该完成的事情而感到焦虑，而且永远把自己的兴趣和爱好以及休息时间放在次要位置。据估计，全世界每 100 人中就有 40 人患有这一隐性的心理疾病。

心理学家表示，不少都市人在高效率的工作节奏中感到精神疲惫，没有满足感，主要是因为其"吝啬"拿出时间来进行心理上的自我整理。其实，适时地"刹车"是为了走得更远。经常有计划地拿出整块的时间来做运动，给自己慢慢做一顿好饭、看喜欢的书、给花浇水，甚至只是坐着发呆，都是一种自我调节，人们可以在这些平凡的细节中感受到生活的幸福。

如今，受"慢生活"理念影响，一些公司也明白了"欲速则不达"的道理，著名的安永管理咨询公司建议职员不要在周末上网查邮件，日本丰田公司则不再允许员工把年假推迟到来年。

学会"慢生活"，并不是指在工作上的懒惰，而是提倡人们不要将工作带到家中，尽量不要加班，杜绝周末还要查看电子信箱、打工作电话。

学会"慢生活"，可以从运动开始。慢式运动能提高生活品质，那种形式上的慢速度、慢动作，所带来的是内心本质加速度地放缓。如今，无论是在忙碌的美国还是在浪漫的澳洲，一种"每天一万步"的健身方式相当流行。医学研究表明，每天步行 1 小时以上的男子，心脏局部缺血的发病率只是很少参加运动者的四分之一。

# 目　录

## 我的健康我作主

# 第二部分　男人四十　十面埋伏

男人请注意保护大脑 /79

男人别硬撑着 /79

改变坏习惯，扮演好角色 /80

# 第三部分　女人四十　谁来护花

## 健康教育从娃娃抓起

# 第五部分　健康生活　四大基石

## 四大基石之适量运动

## 四大基石之戒烟限酒

## 第六部分　享受健康　远离疾病

### 让5000万人不得高血压

一个中心

以健康为中心。健康不得病：个人少受罪，家人少受累，
节省医药费，造福全社会。

两个基点

糊涂一笑：不斗鸡小事，不心烦，不气急。
潇洒一笑：搂堂大一笑，站得高，看得远。

三个快乐

助人为乐　知足常乐　自得其乐

三个正确

正确对待自己，自知之明；正确对待他人，关爱他人；
正确对待社会，感恩社会。

洪昭光健康箴言

# 第一部分

## 40 岁健康新观念

　　新世纪，自然健康的人生是："无病无痛，无疾而终；健康100岁，快乐每一天"；"60以前没有病，80以前不衰老，轻轻松松100岁，高高兴兴一辈子"。

　　在影响健康的各种因素中，个人的生活方式因素占了60%，远远超过医疗条件、父母的遗传或社会、自然条件。

廿一世纪健康新观念：

健康快乐一百岁，天天都有好心情。

六十以前没有病，八十以前不衰老。

轻轻松松一百岁，快快乐乐一辈子。

自己少受罪，儿女少受累。

节省医药费，造福全社会。

像心脏一样科学工作，

像蜜蜂一样快乐生活。

大道至简，大医至爱，适者有寿，仁者无敌

洪昭光健康箴言

# 不要透支健康，不要死于无知

许多优秀白领、骨干、精英因为"透支健康，提前死亡"而成了"白骨精"。我们大家应该立即行动起来，多做"启明星"，不当"白骨精"。

21 世纪是什么世纪呢？

21 世纪是以人为本的世纪，是知识经济世纪，是科技全球化世纪，还是信息数字化世纪……

从根本上来说，21 世纪是健康和生命受到空前关注的世纪，因为世上没有什么比健康和生命更重要的了。

但 21 世纪又是个竞争激烈、人才辈出、群星灿烂的世纪，各路精英异军突起，引领风骚，创造了一个个奇迹，但同时却又有许多青年英才、企业家、科学家相继倒下，他们不是死于工作，而是死于对健康的无知和漠视。死于无知，个人失去一切，美好家庭破灭。幼年丧父，中年丧夫，老年丧子。古人说：哀莫大于心死。现在是：哀莫大于对健康无知。

杰出英才的贡献犹如朗朗夜空中的启明星，给人希望，给人力量，而许多优秀白领、骨干、精英却因为"透支健康，提前死亡"而成了"白骨精"，使人扼腕痛惜。我们大家应该立即行动起来，多做"启明星"，不当"白骨精"。

# 把好人生关键的 20 年

8 小时睡眠者寿命最长，每少睡 1 小时，死亡率增长 9%。

生物钟节律主要决定于太阳的活动，也就是春夏秋冬和日出日落。古人的"日出而作，日落而息"，今人的"三八制"，工作、生活、睡眠各 8 小时，就是最基本的生物钟。与世隔绝的洞穴生物钟研究表明：人体生物钟是自然睡眠 8 小时。临床研究表明：8 小时睡眠者寿命最长，每少睡 1 小时，死亡率增长 9%。一些人恣情夜生活，昼夜颠倒，是违反生物钟，必将自取其咎。

从猿到人已有 600 万年的历史，大自然是人类的母亲，大自然是人类的摇篮，人类的基因和黑猩猩相比有 99.2%是相同的。因此，今天的人类对大自然应该有一种虔诚的敬畏之心和真诚的依恋之情，只有敬畏自然，才能善待自己；只有亲近自然，才能远离疾病。违背生物钟，健康如逆水行舟四面楚歌；顺应生物钟，才能一生平安。

要想健康快乐 100 岁，核心是 60 岁以前没有病；要想 60 岁以前没有病，核心是把好健康的 20 年——男人 30~50 岁，女人 40~60 岁，问题是这 20 年正是人生工作生活压力最大的 20 年，怎样才能把握好工作生活的平衡呢？路在何方呢？谁做得最好呢？

大路朝天，只有一条，就是好好向自己的母亲——大自然学习，大自然已经有了科学的答案。

# 像心脏一样工作

## 心脏的工作：科学加艺术

心脏工作休息有序，它抓紧时间休息，它从不拖泥带水浪费体力，更不日夜颠倒打乱规律。

世上谁的工作方式最好呢？

虽然万物的工作方式各有千秋，但如果从高效、低耗、持久、安全四个指标来衡量，那么，冠军非心脏莫属了。

首先，心脏出色的工作量是惊人的。心脏的重量不到人体重量的 0.5%，约 300 克，但它要负责全身的血液循环供给，全身的重量相当于心脏的 200 倍，也即是相当于一个人要为 200 人提供生命的能量，工作量何其大！心脏虽只有 300 克，但每一跳要搏出血液约 70 毫升，每分钟要搏出近 5000 毫升的血液，每天搏出约 700 万毫升，即约 7 吨的血，相当于心脏自身重量的 2 万余倍，几乎是不可想象的天文数字！人们常以为，心脏所以能工作得这么出色，全在于它勤勤恳恳、兢兢业业、不知疲倦、不分日夜地苦干，其实错了，如果真是这样的话，心脏早就累死了，早就"透支健康，提前死亡"了。事实恰恰相反，心脏的工作是非常有智慧、有理性的。以正常人为例，正常人心率约为 66~70 次/分（当然快慢有波动），即每一次心跳为 0.9 秒，其中收缩期（工作）为 0.3 秒，舒张期（休息）为 0.6 秒，即 1/3 时间工作，2/3 时间休息，相当于我们的 8 小时工作制。到了夜间入睡，心跳变慢为 50

次/分，这时心跳为 1.2 秒，收缩期还是 0.3 秒，舒张期变成 0.9 秒，也就是 1/4 时间工作，3/4 时间休息，心脏自行主张改为 6 小时工作制了，心脏多么有智慧！它工作休息有序，它抓紧时间休息，它从不拖泥带水浪费体力，更不日夜颠倒打乱规律。善于休息是心脏第一特点，正如列宁所说：谁不会休息，谁就不会工作。更奇妙的是，心脏秀外慧中的灵巧艺术结构使它工作时耗能极少，由于神经传导的精密调控，各部位协调同步，心房心室的收缩犹如行云流水，和谐柔美，因而在完成同样工作量的情况下比任何人造的机器耗能都要少。

## 心脏的精神：敬业不蛮干

*心脏很敬业，也懂得自我爱护。体现了劳逸结合，中庸适度，自然和谐的完美境界。*

心脏还很有理性，能从大局出发，当人体运动或遇到紧急情况时，不用指令，就能马上服从大局，根据需要加快心跳到 150 次或更多，这时每次心跳才 0.4 秒，收缩期 0.2 秒，舒张期 0.2 秒，即相当于 12 小时工作制，心脏毫无怨言，表现出很高的自觉性和主动性。

心脏又是有原则的，这原则就是为了保证生命的长治久安，人体的百年健康。心脏绝不蛮干，绝不接受"连续工作"的指令，因为连续工作不吃不喝、不眠不睡，等于死亡。再忙都可以，但是必须有休息，可以少休息，但不能不休息。所以心脏在收缩期是处于"绝对不应期"，即不接受任何指令，只有休息后才接受指令。如果指令过早发出，心脏未能充分休息就提前工作，就是临床上的"早搏"。心脏在完成工作后紧接着就要求同样时间的补休，真正做到了公平合理，"有理、有利、有节"，妙不可言。

心脏很敬业，也懂得自我爱护。比如心脏重量占体重的 0.5%，但用血量却占全身的 10%，这并非自私自利，而是因为工作量大的客观需求，是实事求是的。心脏很自觉，但并非无原则的任劳任怨，当有一支冠状动脉狭窄超过 70%，供血明显减少时，它马上发出警告信号——心绞痛，意思是赶紧补救，不然就要出危险。可以说，一切都掌握得恰如其分。纵观整个心脏工作，体现了劳逸结合，中庸适度，自然和谐的完美境界，不愧是造化的杰作。

# 像蜜蜂一样生活

**看蜜蜂　有条有理　无忧无虑　叹自己　浮躁急躁　着急生气**

**下决心　找出差距　好好学习　学蜜蜂　事业成功　快乐轻松**

你每天都生活得快乐吗?

如果不是，那就看看蜜蜂的生活吧！蜜蜂又唱又跳，天天快乐；诚实守纪，工作努力；心情愉快，轻松自在，还获得了3个"一流"：一流的事业，一流的休闲，一流的健康。

真的吗？那太让人羡慕了，事业和健康是天生的一对冤家，蜜蜂怎么能都是一流呢？这也难怪，毕竟姜是老的辣，人家蜜蜂已经有1亿年的历史了，大自然的优胜劣汰，亿万年的艰苦磨炼和丰富的生活积淀使蜜蜂智勇双全，意志坚强，处处高风亮节，个个自强自立，所以蜜蜂永远青春靓丽充满活力，蜜蜂不愧是大自然进化的杰作和人类天然的老师。

## 新世纪幸福度并未增加

尽管经济收入明显提高，但人们的幸福度却没有多少改变，人们并不觉得更快乐。

当今社会，经济高速发展，物质越来越丰富，但生活的压力也与日俱增，人们浮躁、急躁，心理并不轻松。许多国家的研究表明：与20世纪50

年代相比，尽管经济收入明显提高，但人们的幸福度却没有多少改变，人们并不觉得更快乐。这是为什么呢？有人说，这是发展的代价，因为发展需要付出，即鱼与熊掌不能兼得。一位哲学家说过："领先需要代价，但从长远的观点看，落后的代价更大。"因此，在今天一日千里的社会中，人人都想领先，人人都怕落后，自我加压，被迫加压，节奏加快，竞争激烈。人体生物节律被破坏，膳食规律被打乱，快餐饱餐，吸烟酗酒，运动减少了，失眠增多了，于是一系列由紧张、压力、不良生活习惯所造成的身心疾病如高血压、高血脂、冠心病、溃疡病、糖尿病、癌症应运而生，慢性病发病率增高，发病年龄提前已成为不可阻挡的趋势。据卫生部 2002 年全国营养与健康状况调查，我国已有高血压 1.6 亿人，高血脂 1.6 亿人，体重超重 2 亿人，糖尿病 4000 万人，健康形势十分严峻。高科技，你究竟是利还是弊？新世纪，你将把人们带到哪里去，是更幸福还是更痛苦？

# 蜜蜂凭什么能够生存

**蜜蜂靠的是"软实力"——诚实可信、吃苦耐劳、团结一心的精神风貌！**

自然界亿万年的进化史是一部惊心动魄的史诗，记录着万千物种的沉浮兴衰和风雨沧桑，人们可以从中悟到许多智慧和灵感。仿生学告诉我们，大到巴黎铁塔的设计，洲际导弹的追踪，小到汽车轮胎的花纹和游泳衣帽的面料都可以从生物中得到极重要的启示。考古学发现，蜜蜂是一种有近亿年历史的古老生物。当时一统天下的"巨无霸"——恐龙在 6500 万年前的一次行星撞击地球造成的气候巨变中绝迹消亡。而同一时期的鳄鱼却靠着非凡的勇气和智慧奇迹般存活下来。鳄鱼坚甲利齿，进可攻退可守，左右逢源；鳄鱼水陆两栖，可登陆蛰伏，可下水捕食，足智多谋；鳄鱼刚柔相济，可一次吞食巨量食物，也可半年不食不死，游刃有余，真不愧是生物进化史上的高手奇才。一位美国生物学家说："当地球上不存在人类的时候，鳄鱼还会在湖中从容地游弋。"

但是要是和蜜蜂相比，鳄鱼又是小巫见大巫，自叹弗如了。因为蜜蜂不仅是存活了下来，更是家族兴旺，有数百个品种，子孙满堂，遍布全球各地，可谓"四海之内皆兄弟，天下无处不蜜蜂"了。

人们不禁要问，在这亿万年残酷的物竞天择、优胜劣汰的竞争中，蜜蜂凭什么本事能一枝独秀，脱颖而出呢？它既没有坚甲利齿，又不是两栖动物，靠的是什么呢？原来鳄鱼靠的是"硬实力"，而蜜蜂靠的是"软实力"——诚实可信、吃苦耐劳、团结一心的精神风貌！没人想到，在如此激烈、真刀真枪的生存斗争中，蜜蜂的"软实力"竟能克敌制胜，无坚不摧，达到"此时无声胜有声"的至高境界，正如《孙子兵法》所说的"攻心为上"，"不战而屈人之兵"。智慧勇气，刚柔相济，适者生存，这种"软实力"有这么大的威力，说明我们这个世界真奇妙！看来，拿起"软实力"的武器，人类的前途还真是一片光明。

# 蜜蜂的秘密武器："三心三自"

事业上有颗进取心，生活中有颗平常心，心灵里有颗慈爱心。自信、自强、自律。

蜜蜂的"软实力"究竟是什么呢？

"软实力"一共就四个字："三心三自。""三心"一是事业上有颗进取心，二是生活中有颗平常心，三是心灵里有颗慈爱心。

"三自"是自信、自强、自律。自信是成功的基础，自信不是自负，自信是了解自己，永远乐观不悲观；自强不是逞强，自强是顺应自然，顺势而为，适度均衡，阴阳和谐，这才能强大；自律是防腐剂，不然，春风得意便忘乎所以，贪心贪欲，前功尽弃。有了这"三心三自"，便会头脑冷静，理性分析；不以物喜，不以己悲；宠辱不惊，去留无意；清风明月，物我两忘。什么功名利禄，酒色财气，都会视如粪土，不干自己；一身正气，永远立于不败之地。

你看小小蜜蜂，每天早早起床，高高兴兴飞到百花丛中采集花粉。朝霞迎接，和风送行，蓝天作伴，小鸟和鸣。它们有严密的组织，严明的纪律，严格的分工。工作时专心致志，一丝不苟，一朵花儿都不漏过。发现远处有好花时，它会发出信息，互相招呼，集体前往，不辞辛劳，不怕跋涉。为了采到好花粉，蜜蜂对花儿以礼为先，一面唱歌，一面跳舞，又是问候又是微笑，花儿也舒展起自己的花瓣，报之以甜甜的笑脸，献出最好的花粉。蜜蜂以花为伴，与花为善，在花丛中牵线搭桥，做月下老人，使花儿满树，硕果满枝。蜜蜂工作精益求精，他们善于精选能酿造好蜜的新鲜花粉。蜜蜂的事业心还表现在高度的集体主义团队精神，蜜蜂内部机构精炼，高效率运作。在数以万计的蜂群中，只有一个当官的，即蜂王，而且是兼职，蜂王的主要职责是生育后代，同时兼任管理者。由于管理科学，机制合理，一切工作文明有序。可以说，蜜蜂创造了管理上的奇迹。在这一点上，我们人类只能甘拜下风。蜜蜂养育幼蜂的房屋是六边形，美观又实用，所有的蜜蜂都能自觉遵循这一建筑设计，没有一个违法乱纪，没有一个贪污腐败，而建成三边形、四边形的。这里反映的是一种团队和自信精神，它们如此心齐、如此遵守规则真是令人感叹不已。蜜蜂虽小，其灵气可谓大矣。

蜜蜂非常团结。数以万计的蜜蜂挤在一个蜂巢中，相互之间的摩擦、磕碰在所难免，但与心胸狭隘的蚂蚁不同，蚁群内常为争食而打架斗殴，而蜜蜂却有一颗宽容之心，它们之间从不发生争斗，相互礼让，蜂口众多却井井有条，令人称奇。蜜蜂群体有很强的凝聚力，一致对外，为保护蜂巢，个个奋勇争先，舍生忘死，整个蜂群表现出极强的战斗力，即使来势汹汹的恶禽猛兽也不敢轻易冒犯"军民团结如一人"的蜂群。

# 莫学蚂蚁，日复一日苦作工

蚂蚁的工作很辛苦，很努力，但不善思考，属于劳而无功型。

蚂蚁虽然也是一种社会性昆虫，但与蜜蜂相比，品位却低多了。蚂蚁只会单纯采集，见到什么搬什么，良莠不分，机械搬运，遇到比自己重几倍的东西也要咬紧牙关拼命搬回去。看起来，蚂蚁的工作很辛苦，很努力，但蚂蚁不善思考，不会加工提炼，因此尽管起早摸黑，事事全力以赴，却因总用一种固定的模式，固定的思维，在工作中找不到乐趣，很容易产生心理疲倦，职业疲劳，血压升高，再拼命干也鲜有成绩，蚂蚁属于劳而无功型。

## 莫学蜘蛛，布下陷阱害人虫

*蜘蛛既怀恶毒之心又无自知之明，等待它们的就是被消灭的命运。*

和蚂蚁相比，蜘蛛则更是等而下之，不可同日而语。蜘蛛蛰伏墙角，整天不学习，光会吐着千篇一律的黏丝，结着千篇一律的网，然后收起八只脚，合上眼睛，闭目养神，装死不动。一有虫儿触网，蜘蛛立即兴奋起来，张牙舞爪，利用两只螯肢向猎物注入毒液，麻痹至死，分而食之，可谓冷面杀手，凶险至极。不仅如此，近日有报道，澳大利亚一种蜘蛛因天气恶劣，竟然搬入室内，迁怒于人，无端攻击人类，既怀恶毒之心又无自知之明，可想而知，等待这类蜘蛛的就是被消灭的命运。

## 爱心蜜蜂，日子越过越轻松

*以爱心为本，以助人为乐，把善良、明理、创新作为生活准则。*

和蚂蚁、蜘蛛不同，同样是面对大自然的残酷生存竞争，蜜蜂却有完全不同的心态，蜜蜂以爱心为本，以助人为乐，把善良、明理、创新作为生活准则，从不伤害别人。蜜蜂采集花粉时不是单纯的苦力搬运工，而是一面享受工作一面播种友谊，使自己和花朵双双受益；采回花粉后，不是简单的贮存，而是进行精加工，用自己的唾液把普通成分的花粉酿造成香甜可口的果糖和营养丰富的葡萄糖，组成人见人爱的蜂蜜。这一创新性劳动使花粉的科技附加值成倍地增加，成为享誉世界的绿色产品，使蜂群自身和整个社会受益。更难能可贵的是，睿智的蜜蜂竟创造出连生物高科技都无法合成的神奇保健品——蜂王浆，能提高免疫力、抵抗力、生育能力，蜂王靠了它，能以每天产 5000 到 1 万枚卵的速度连续产卵 30 年之久，几乎是天方夜谭的奇迹。蜜蜂把爱播撒给世界，蜜蜂把科学服务于人类，结果怎样呢？当然是"善有善报"。古语说："爱人者人恒爱之，敬人者人恒敬之。"蜜蜂和人类成为好朋友，人类为蜜蜂创造了越来越好的条件，蜜蜂的日子也越过越轻松。

# 努力不过力，拼劲不拼命

**蜜蜂的生活态度是工作适度，勤奋适度，"拼脑拼劲不拼命"。**

人类很聪明，但却常常死于无知。许多人年纪轻轻就提前过劳死了，本该活到 100 岁却平均只有 70 岁，许多更聪明的白领、骨干、精英们本该活得更健康，更潇洒，却反而纷纷成了"白骨精"。上海社科院最新公布的"知识分子健康调查"显示，在知识分子最集中的北京，知识分子的平均寿命从 10 年前的 59 岁降到调查时期的 53 岁，这比 1964 年第二次全国人口普查时北京人均寿命 75.85 岁低了 20 岁。

什么原因呢?

最根本的是压力过大。美国哈里斯调查中心指出:60%~90%的疾病与压力有关,而且都市里有近一半的人感到压力使他们的健康状况越来越糟。另外,压力可造成包括从心脑血管病、溃疡病、糖尿病、癌症、心理障碍到头痛、背痛、腰痛、失眠等至少 100 种以上的疾病。

可是压力又是无时不在,无处不在,人人都有的,该怎么对待呢?这里蜜蜂又是人类的老师了,因为蜜蜂不仅创造了一流的事业,还创造了一流的休闲,真是妙不可言。

人类在压力下,生物钟被打乱,日夜节律颠倒,抽烟酗酒,通宵达旦,大吃大喝,花天酒地,下了餐桌又上麻桌,加上城市的高楼郁闷,空气污浊,自然就产生一系列生活方式疾病。可是蜜蜂呢,蓝天为伴,花儿为友;日出而作,日落而息,起居有时,饮食有节;生活规律,工作八小时。怡然自得,快乐轻松。蜜蜂的生活态度是工作适度:"出力出汗不出血",因为世上没有免费的午餐,但也没有必要以牺牲健康为代价;勤奋适度:"拼脑拼劲不拼命",因为不拼就没有成功的光环,但也没有必要以牺牲生命为代价。因为工作是永远做不完的,少了谁都有后来人。

有人认为事业要成功就必须放弃健康,那就大错而特错了,用世界卫生组织前总干事中岛宏博士的话来说就是"死于无知,死于愚昧"了。事业和健康是骨肉相连的亲兄弟,是风雨同舟的好朋友,而绝非一对冤家。

# 对比不攀比，适度不过度

真正的快乐与财富有一定的相关，但只有约 15% 的相关。

一项大规模网上调查显示："工作倦怠"正在袭扰着我们的社会。"不快乐"成了流行病，而"郁闷"、"不爽"已成为人们的口头禅。

按说，当前社会财富总量已是大大增加了，但社会的快乐总量却没有同步增加。原因是不少人把钱作为一切行为的最高目标，成了钱的奴隶，有了钱导致了炫耀性消费，而社会的快乐总量与少数人的炫耀性消费无关，反而导致多数人的失落。社会应当追求人们快乐的最大化，真正的快乐与财富有一定的相关，但只有约 15% 的相关，并主要表现在财富的早期增加阶段，中期与"闲"相关，后期与"健"相关。因为 85% 的快乐并不是来自物质和感官享受，而是来自心灵、精神层面的诸如生活态度、观念意志、友情、家庭、人际关系等与闲、健相关的因素。这就牵涉到"物质永远不会人人平等，但生活快乐可以人人平等"的人生本质问题。只要是盲目攀比，一定带来痛苦，而且攀比首先伤害自己，即使比尔·盖茨，要是攀比的话，他不如别人的地方要比超过别人的地方多得多，只能暗自生气。相反，对比是理性的，每一个人都是独特的，都是不可替代的，即使穷人，也有许多值得快乐的地方，也还有许多不如他的人，他可以像任何人一样快乐无忧。英国有个故事说到某位国王因严重忧郁不治，最后，某名医告诉他，只有让一个最快乐的人来把快乐分享给他，才能治愈。国王下令遍访全国，寻找最快乐的人，结果找到大臣、将军、富豪，以为他们一定最快乐，结果个个心事重重，郁郁寡欢。失望之余，听到远处有悠闲的歌声，循声走去，发现是一位自由自在的乞丐，在唱着无忧无虑的歌曲，最后是他治好了国王的抑郁。生活中许多东西是不公平的，但不要紧，我们最重要的快乐倒是公平的，是人人可以享有的，这不是什么阿 Q 精神，这是一种智者的心态。

老子说：适者有寿。这四个字实际上概括了生理的、心理的、心灵的、人际的各种关系的至高境界，是科学发展观在健康上的体现。人类远远没有做到，因为滚滚红尘，诱惑太多，欲望也太多，理性的力量显得软弱无力，但看看蜜蜂们，它们已经做到了。

因此，有空多到大自然中去，亲近白然，回归白然，感悟自然，经历了大自然的洗礼，心灵会变得纯净，生活会充满幸福。

# 英年早逝错错错

一些中年精英，不能把握工作与休息的平衡，浮躁、急躁、烦躁，不分日夜，连续工作，苦干蛮干，英年早逝，这都是对健康无知。北京某高科技园区，科技人员死亡的平均年龄不足 53 岁，真应该好好学习心脏的工作方法。一位副主任医师，为参加全国性会议赶写 3 篇论文，连续工作 72 小时不休息，发现时已猝死在办公桌上。一些拥有金山银山的企业家，正当英年，已"无可奈何花落去"，真令人扼腕痛惜。

古人说："师法自然"，"大道至简"。愿我们的中年白领精英过上绿色健康生活，使生命之树永远常青。

从去年年初到现在，不断有教授、学者和商界精英猝然辞世，他们的年龄都在 35~60 岁之间，英年早逝是这个社会的"痛中之痛"，已成为当今的流行病。这种病一错是自己流血，二错是亲人流泪，三错是国家人才浪费。

## 不要忘记好心态

心灵平静了，心理就平衡，生理就稳定，病理就不发生，即使发生了，也能很快重新平衡。

大自然是人类慈爱的母亲，人类是自然的儿女，儿女顺应母亲，天人合一，生命才能生生不息。

一个人如果善待生命，生命就如同春花秋月一样有着美妙如歌的韵律——自然发生，自然凋亡，无病无痛，无疾而终，百岁以后安然离去在睡梦中。

人生什么最珍贵呢？1400年前101岁的唐代名医药王孙思邈说："五福寿为最。"怎样得寿呢？公认的最佳方法就是心灵养生——一颗禅心。平和心态，爱心常在。孔子说：仁者寿。就是气以宽厚者寿，言以简默者寿，质以慈良者寿。一个人淡泊明志，就能宁静致远；不以物喜，不以己悲。林则徐喜欢的对联是：读书静坐，各得半日；清风明月，不用一钱。在达观宁静的心境下，人体自身的免疫力、代偿力、康复力得到最佳组合，各项机能阴阳平衡，和谐运行，精、气、神、形达到最佳境界，心境如"千江有水千江月，万里无云万里天"一样的明澈。心灵平静了，心理就平衡，生理就稳定，病理就不发生，即使发生了，也能很快重新平衡。研究表明：一个积极乐观的心态对全身抵抗力的调动、整合和增强有着超乎人们想象的巨大力量，它能使体力体能增强，能力大幅提高，疲劳焦虑消失，炎症减轻，癌症痊愈。美国运动员阿姆斯特朗身患癌症，手术化疗后还获得6次环法自行车赛世界冠军；还有许多抗癌明星近乎不可思议的故事都说明了这一点：一个好的心态就是大自然恩赐你的最好的健康法宝。所以，医学之父希波克拉底说：病人的本能就是病人的医生，最好的医生是自己。

# 健康不仅属于你

中年男人最大的渴望是爱名爱利爱攀比，最大的不懂是不懂爱健康，不懂爱家人，不懂爱自己。

西方谚语"人生如航海"，民间俗话"平安就是福"，都是寓意人生坎坷，山高路险，要像如临深渊、如履薄冰那样地关爱自己。

漫漫人生路，处处危险多。在人生的棋盘上，只要有一点失误，哪怕是小小的失误，就可能使你满盘皆输，好像"泰坦尼克号"，一瞬间，庞然大物葬身海底，一生心血化为乌有。

世界上第一例有病历确诊、有尸解证实的冠心病猝死病人是英国著名外科医生亨特，只因一次学术争论，一代名医，一怒之下，一命呜呼。我们收治过一位23岁青年，好胜心切，在一次吸烟竞赛中勇夺冠军，30分钟后突发急性心梗，几乎丧命。一位42岁的副教授为赶论文发表，3天3夜未出实验室，发现时已死在实验桌上。有位加籍华裔教育专家，先后回国100余次，工作全力以赴，废寝忘食，结果不幸猝死在连续奔波的旅途中。

细想想，工作是永远做不完的，事情是永远没有完美的，目标是永远没有尽头的，因此凡事一定要有度，量力而行，适可而止。出力出汗不出血，拼脑拼劲不拼命。不然，一走极端，物极必反。

中年男人最大的渴望是爱名爱利爱攀比，最大的不懂是不懂爱健康，不懂爱家人，不懂爱自己，结果一不慎成千古恨，再悔恨已百年身。自己死了，倒是简单，但是家庭破灭，配偶首当其冲；儿女丧父，心灵遭受重创；

白发人送黑发人，痛彻肺腑。人生三大悲苦：幼年丧父、中年丧偶、晚年丧子竟集中一身，呜呼！小失误竟铸成终身痛苦，何苦！何苦！

过去说：健康是你自己的，只说对了一半，准确地说应当是：健康是属于你和爱你的人的。你的去世，个人损失只是"冰山一角"，冰山的 90% 都在水下看不见，你的去世至少造成对 10 个最亲近的人的直接伤害，对几十个亲友的间接伤害，还有无法估计的事业损失。越爱你的人受害越大，真正的"亲者痛"啊。面对这种"痛中之痛"，人们岂能无动于衷！

## 英年早逝谁之过？都是"躁"字惹的祸

**失去了健康，错错错；失去了生命，痛痛痛。**

英年早逝谁之过？个人对健康生命的漠视和糊涂是主要原因，但社会因素也不可忽视。男人四十，十面埋伏。在一个转型期的社会，物欲日盛，急功近利，人们思想浮躁，心情烦躁，工作急躁，整个社会处于阴虚阳亢的状态，反映到人的生物体内，必然导致交感神经与副交感神经的功能失调，造成一系列亚健康和生活方式疾病。

中年压力，原因不同。有因重任在肩，出于高度责任心的；有因学术研究，出于执著事业心的；有因利益驱动，出于利欲熏心的；还有纯因病于无知死于无心的。但不管原因为何，结局都一样：失去了健康，错错错；失去了生命，痛痛痛。

在这阴虚阳亢的社会状态中，一定要记住一位哲学家的谆谆教导：少做多活是多做，多做少活是少做。横批是：实话实说。其实上世纪50年代一句最普通的话"身体是革命的本钱"已包含着最朴素深刻的真理，正如一位伟人所说的：战争中，首先要学会保存自己，才能更好地消灭敌人。列宁曾说过："谁不会休息，谁就不会工作。"《圣经》里有句精辟的话："赢得了世界，却失去了自己。"按理说，这妇孺皆知的简单道理，白领精英们能不知道吗？但人性的弱点"知道，做不到"，"语言的巨人，行动的矮子"，就恰恰突出表现在对待健康上，在物欲的诱惑下或"虚火"的驱使下，尤其如此。

面对社会的"虚火"怎么办呢？想想白居易的故事也许是一剂清凉药。当年白居易任杭州太守时曾请教一位高僧关于"佛的真谛"是什么。高僧说，就8个字："诸恶莫作，众善奉行。"白居易说：这不太简单了吗？连3岁孩子都知道。高僧说：是的，3岁孩子知道，但80岁老人做不到。一语道破了古今中外人性的根本弱点：知、行脱节。闻道者百人之众，悟道者仅约五十，行道者只寥寥数人而已。知，信，行，落差之大道出了英年早逝的本质原因："知道，做不到。"11次获得乒乓球世界冠军的张怡宁说：最大的对手是自己，只要能战胜自己，真正的对手就不多了。同样道理，中年人健康的最大对手也是自己，只要能战胜自己的弱点，真正做到科学工作，科学生活，那么，疾病就很难侵犯你了。

# 学习心脏和蜜蜂，又闲又健又轻松

**日常工作生活应能像心脏、蜜蜂一样有预见性、创造性、计划性。**

前面说到心脏与蜜蜂能"四两拨千斤"，"快乐轻松，事业成功"的奥秘，这是大自然亿万年进化的杰作。人类遇到困难，只要师法自然，就能迎刃而解。既然巴黎铁塔的结构、导弹追踪的思路、直升飞机消音的设计灵感都来自自然，那么，我们日常工作生活应能像心脏、蜜蜂一样有预见性、创造性、计划性，减少盲目无序凌乱，使工作生活效率提高，轻松而有序，低耗而高能，如行云流水，天衣无缝。

中年人最缺的是时间，健康四大基石也要讲究节省时间。比如合理膳食，核心就是什么都吃，适可而止，不必刻意计算食物热量是多少，也不要随心所欲，只要注意就可以。适量运动，当前北美、欧洲最时尚流行的绿色运动就是健身大步走和徒步旅行，又省时间又省钱；尤其是白宫保健医生给布什总统开的健康处方：夫妻常牵手，话聊并肩走，一举三得。

下面几段话，可以让你不花时间不花钱，又闲又健又轻松。

### 走路比药好

天天三笑容颜俏，

七八分饱人不老；

相逢借问留春术，

早晚走路比药好。

## 八字健身歌

日行八千步，

夜眠八小时。

三餐八分饱，

一天八杯水。

养心八珍汤，

强体八段锦。

米龄八十八，

茶寿百零八。

## 三平是个宝

平常饭菜一荤一素一菇，粗粮细粮豆腐。

平和心态不争不恼不怒，爱心宽容大度。

平均身材不胖不瘦不堵①，天天早晚走路。

注①："堵"指动脉硬化血管堵塞，如脑血栓，心肌梗死等。

白宫总统保健医开给布什的三条健康处方

1. 每周至少与夫人相处心十小时以上。
2. 每天至少与夫人相处二十分钟，还要包括一次共进晚多或其他午多。
3. 节假日，全家外出孤解时，尽量多的时间夫妻要手拉手。


饭前喝汤，苗条健康。
饭后喝汤，越喝越胖。

腰带越长，寿命越短。
心跳越快，死的越快。

管住嘴，迈开腿。心胸宽，活像欢。

不怕挣得步，就怕走的早。

吃饭七八分饱，走路爬搂好跑。

洪昭光健康箴言

# 人活百年不是梦

100 岁，这是大自然赐予我们的神圣的生理寿命，但前提是你必须关爱自己而不要自己伤害自己。同时还要健康，因为不健康，就要受病痛折磨。这还不够，还要快乐，因为快乐是人生至高境界。每天早上一睁眼，太阳每天都是新的，心情每天都是美好的，生活每天都是充实的。

根据科学推测，人类生理寿命应比现在的实际寿命长得多。那么人的生理寿命应该是多少呢？

按照生物学原理，哺乳动物的寿命应该是生长期的 5~6 倍。人的生长期是到最后一颗牙齿长出来的时间（20~25 岁），照此计算，人最长寿命应该是 6 乘 25，150 岁，最短是 5 乘 20，100 岁，也就是说，人再长寿不会超过 150 岁，人再短命不会短于 100 岁，这是大自然赋予我们的寿命。

## 生命最美是凋亡

人人都希望自然凋亡，可现在的社会普遍现象却是提前得病，提前残废，提前死亡。

人的生老病死如春夏秋冬一样是自然规律，但死的方式却不同。一种是自然凋亡，一种是病理死亡。怎样才算是自然凋亡呢？

自然凋亡即程序死亡，正如春天的花儿凋谢，冬日的树木落叶，对人而言就是无病无痛，无疾而终，百岁之后，静静离去在睡梦中。就像宋美龄106 岁，睡了一觉就走了。然而现在绝大多数人都是病理死亡，即提前死亡，这种死亡犹如树木经风雨摧残，病虫损害，在夏天即枯萎死亡。对人而言就是患病后的肉体痛苦，心灵折磨，七十八十，身心煎熬，人财两空。

人人都希望自然凋亡，可现在的社会普遍现象却是提前得病，提前残废，提前死亡，这是为什么呢？原因是我们违背了自然规律，违背了生命规律，一句话，我们违背了科学的生活方式。

我有一个病人，当年 36 岁，13 岁开始抽烟，烟龄 23 年，酒龄 18 年，麻龄 12 年，赌龄 5 年。结果刚刚 36 岁，3 支血管堵塞，心肌梗死。他这个病纯粹是胡吃吃出来的，喝酒喝出来的，抽烟抽出来的，生气气出来的，赌博赌出来的。他的病是自己找来的。

所以说如果你自己不关爱自己，那谁也救不了你。

老子道：大道至简。健康的道理其实很简单，谁违背自然规律，谁早早病理死亡；谁顺应自然规律，好人一生平安。

# 健康比金子还宝贵

**生命与健康是一条单行线，"奔流到海不复回"。**

世界卫生组织早在 1953 年就提出"健康是金子"的主题口号，希望人们要对待金子一样珍爱生命。

细想起来，健康比金子还珍贵，因为健康很难再生或不可再生，一旦失去，再先进的高科技都无法使受损的机体恢复到原来的状态，就像一张白纸，揉过之后再也不可能恢复到原先的平整一样。

这个人出生的公式和法则将健康的本质淋漓尽致地表现出来。健康本是人类古往今来一直的追求，但面对现代社会的各种诱惑，是过有节制的生活，还是纵情人生，却令许多人感到难以选择。其原因既有不得已，也与意志力、生活观念、科学发展多方面有关。

很多年轻人认为自己年轻，能吃能睡就是没病，有了病症坚持一下就挺过去了，结果病入膏肓时才如梦初醒，但是一切都晚了。誉满中外的科学家、事业鼎盛的企业家英年早逝已不是什么新闻了。

要知道，生命与健康是一条单行线，"奔流到海不复回"。许多人对健康的本质认识不够，人工的东西再好也不能超过自然给予的东西。人类用了很多时间去征服自然，但对自身的认识却非常肤浅，比如一架波音 747 飞机由全球 5000 个工厂合作、600 万个零件组成，数字很惊人吧，但是人的一个细胞里面所包含的基因竟有大约 10 万个，由 30 亿个碱基因对组成，人的大脑皮层就有 1000 亿个细胞。可见人的复杂性比最复杂的飞机还要复杂千万倍。人一定要尊重自然。

## 人生 60 才开始

**享受人生，品味人生，欣赏人生。**

我们说人的正常寿命应该是 120 岁，我把 1~60 岁叫做第一个春天，61~

120 岁是人生第二个春天。第一个春天是耕耘的春天，你要上小学、中学、大学，还要成家立业，上有老，下有小，中间还要把老伴伺候好。

真正幸福的人生，是第二个春天。60 岁退下来了，时间富余了，空间广阔了，阅历丰富了，经验成熟了，又大多不再为衣食、子女、名利操劳奔波。这个时候正可以享受人生，品味人生，欣赏人生。所以，英国有句谚语叫：人生 60 才开始！

许多科学家、艺术家、哲学家，都是在第二个春天做出更大成就的。西班牙画家毕加索 85 岁时，1 年画了 165 张画；苏联科学家巴甫洛夫 80 岁提出了大脑皮质反射学说；中国的陆游 85 岁时写的诗《示儿》流传千古；政治家也是如此，敬爱的邓小平同志提出改革开放伟大理论时，已经 70 多岁了；著名数学家华罗庚教授也是在第二个春天创造他人生的辉煌。

第二个春天的健康非常重要，不健康就会带来痛苦。

人生从 60 岁起，正是金色收获的秋天，人们应当在明媚的阳光下，健康享受每一天。在现代科学技术条件下，带着希望，带着憧憬，人们步入百岁是生命之树的自然过程，就像一条小河弯弯曲曲，最后汇入大海。真正做到轻轻松松 100 岁，高高兴兴一辈子。

## 智者不惑，一"智"千金

*100 个人闻道，能悟道者仅 50 人，而能行道者则不到 10 人。*

在我国物质文明大大进步了的今天，为什么一些慢性病反而更多了？发病年龄更早了？一些原来可以控制的高血压、糖尿病不但控制率很低，而且并发症很高？慢性病的形势怎么越来越严峻了？

归纳起来原因有三：

一、无知无为。即病于无知，死于无知。

二、有知难为。许多中青年人，有保健知识，也想健康，但工作、生活、家庭的压力过大，权衡下来是无奈，只好透支健康，浓缩生命。

三、有知不为。更多的人尽管知道保健知识，但实践中就是做不到。这就是人性的弱点。人性中有一个知、信、行的落差公式，或称闻道、悟道、行道公式。这个公式是：100个人闻道，其中能悟道者仅50人，而能行道者则不到10人。以吸烟为例，据流行病学调查：100个人中有95人知道吸烟有害，但愿意戒烟者仅50人，而真正戒烟成功者不足4人，可见落差之大。其他如减肥、高血压等，治疗控制率的情况也大致相似，都有很大落差。

目前，城市中大多数人属于第二、三种。知识与行为、闻道与行道之间有这么大的鸿沟，那么应该怎么办呢？

古人说：智者不惑，勇者不惧。何为智者？遇事不惑者也。遇到一件事，一个问题，能够全面、客观、有深度地进行综合分析、思考和比较，不仅知其然还知其所以然。然后认清目标，矢志不移，持之以恒，百折不挠，水滴石穿，终成正果。智与知不同，知是知识，一学就会，但只是表层知识，并不形成性格，不一定能变成信念与行为。而智是"知"加上"日"，即有了知识后，还要日日潜思精炼，天天悟道行道，才能提升成智慧，升华成性格；才能遇事登高望远，高屋建瓴并且持之以恒，一以贯之。能做到智和勇，不是容易的事。

有了这种"智"，即理智、才智和睿智，而且要从青少年抓起，那么天下就没有什么难事了，这样一来，戒烟限酒、控制体重、合理膳食、坚持运动、心理平衡、控制高血压、控制糖尿病等等所有问题都会变得十分自然，十分顺畅，水到渠成，顺理成章。这样，我国的各种慢性病总体上发病率将能下降一半以上，人均健康寿命再延长 10 年，达到 72.3 岁，直逼世界最先进的日本——健康寿命 74.5 岁。而且医药费和卫生资源消耗将大大下降。如按下降 1/3 计算，那就等于每年节约 5000 亿元人民币，而且自己少受罪，儿女少受累，生命质量大大提高，全面的小康社会将早日到来。

信哉，"智者不惑"，真是一"智"千金。

"春有百花秋有月，夏有凉风冬有日，若无闲事在心头，人生都是好季节。"愿更多的智者，共享更美好的明天。

## 健康人更应该被关爱

我们的工会主席、支部书记一到过年过节，探访的都是老病号，病越重越去看他，健康的人反而没人关心！

我们一到过年过节，探访的都是老病号，病越重越去看他，健康的人反而没人关心！

我 1981 年去美国，专搞预防医学研究，导师是非常有名的斯丹姆教授，世界级权威。他带我到芝加哥的一家公司开午餐会，老板说今天开会是给 10 年当中不得病的人发奖，一人发一件 T 恤，一个网球拍，还有一个信封里面装一张支票，是象征性的少量奖金。然后，大家为他们鼓掌，都很高兴。

回去一想，美国这个企业家太聪明了，人家美国关心的是健康人！因为他的员工10年不得病不花钱，可以省许多医药费，才给他一件T恤、一个网球拍，你想他创造的财富有多少？这家公司里有游泳池、健身房、网球场，鼓励大家运动，大家都不得病。

我回来后，到北京一看，我们的工会主席、支部书记一到过年过节，探访的都是老病号，病越重越去看他，健康的人反而没人关心！

美国这个公司所关心的是健康人，让大家健康不得病。

在我们这里，我们的观念是重医疗，医疗费花去5万、10万没问题。在我管的病房，住院的干部一住院费用就好几万。医疗费花100万也没问题。国家对慢性病的预防投入很少很少。

实际上有专家研究得出结论：对心血管病在预防上花1元钱，医疗费能省下8.59元，同时测算出它还能省下约100元的终末抢救费。

我在北京农村搞过一个调查，有户农民1年收入20多万，他很有钱，过年给小孩买烟花爆竹一花就是2000多元。这么有钱的人，全家7口人却共用一把牙刷，他认为刷牙是多余的。结果这家7口人有4人得了高血压。

实际上保持口腔健康，可以减少很多病，如动脉硬化、心脏病等。在国外，口腔健康被认为是第一重要的，世界卫生组织也非常重视口腔卫生健康。所以健康观念要转变，要从治疗转变到预防上。

# 你是倒霉的兔子还是幸运的鸭子？

**因为基因的不同，表面看起来差不多的人，实际上千差万别。这决定你一生的保健方式。**

人得病主要有两个原因：一个是内因，是指爸爸妈妈的基因；一个是外因，是指外界的环境因素。

先说内因。一个人得病不得病，长寿还是短命，在一定程度上跟父母的基因有关系。爸爸有糖尿病，妈妈也有糖尿病，那么孩子就容易得糖尿病。爸妈没有病，子女也会得病，但概率会低些。总体上讲，假如爸爸有高血压，妈妈有高血压，生出的小孩45%会有高血压；父母有一个有高血压，小孩有28%的机会得高血压；父母血压正常，孩子会不会得高血压呢？也会，但概率很小，是3.5%。

因为基因的不同，表面看起来差不多的人，实际上千差万别，你是倒霉的兔子型还是幸福的鸭子型？这决定你一生的保健方式。

人和人的心理耐受能力、精神、性格和意志等各方面都不一样，所以人和人千差万别，这是内因不同。

我们可以用动物实验做例子来说明遗传的影响。我们用小白兔做实验。小白兔应该吃萝卜，吃青菜，从今天开始让小白兔吃鸡蛋黄拌猪油，鸡蛋黄胆固醇高，猪油动物脂肪多。小白兔吃了4个星期后，胆固醇升高，8个星期后动脉硬化，16个星期后怎么样了？这只小白兔得了冠心病、心绞痛了。

下一个实验，我们用北京鸭做实验，也让它吃鸡蛋黄拌猪油。可是奇怪，你怎么喂它呀，它的胆固醇也不高，动脉不硬化，喂到老了，它也没有冠心病。咦，那可奇怪了，吃的是一样的，兔子就动脉硬化，鸭子就不会，这是什么道理呢？道理很简单，兔子是兔子，鸭子是鸭子，基因不同，遗传不同啊！所以结果就不同。

人也是一样的，张三一吃肥肉、鸡蛋就胖了，胆固醇高、动脉硬化、心肌梗死。可李四呢，天天吃肥肉，天天吃鸡蛋，天天吃猪肝，想吃什么吃什么，可是人家胆固醇不高，也没有动脉硬化。为什么呢？道理很简单，因为张三属于兔子型的，李四属于鸭子型的。你要是兔子型就倒霉，你要是鸭子型呢，就运气，各位不服不行啊。

人和人表面看起来，高矮差不多，胖瘦差不多，长相差不多，其实人和人有天壤之别。比如说，人生风风雨雨，每个人都会遇到生气着急不痛快的事。但是，张三一生气心跳快，血压高，脸红，甚至浑身哆嗦。李四一着急生气，心跳不快，血压不高，可是胃痛，胃穿孔，胃出血。王五生气着急得糖尿病了。第四个人遇到压力，得了精神分裂症。第五个人生气着急哈哈一笑就过去了，什么事也没有。这就是人的心理承受能力不同。

"文化大革命"，红卫兵每天一早第一件事就是揪斗"走资派"。我们医院一位党委书记是个女同志，前前后后被斗了100多次，剃光头"坐喷气式"，但是这个党委书记非常不简单，每天挨批斗以后照常回家吃饭、睡觉，一切如常，若无其事。我从心眼里佩服她，她不愧是真正的共产党员。过不几天护士长又被揪出来了，她是上海人，是模范护士长，待病人如亲人，真是非常好。可是，听说她爸爸是历史反革命，因为护士长特别孝顺，每个月给她爸爸寄20块钱。结果被说成是阶级阵线没画清楚，要揪斗她。她是护士长，可她没经过战争的考验，没经风雨见世面，一听明天要把她揪出来批斗，可不得了，当时一恐惧，精神就崩溃了。与其明天这样受侮辱，还不如死了。怎么死呢？最好的办法是放血吧，用手术刀把两手的动脉都割断了，血流到一半，血压一低，动脉痉挛，血还出不来哩，想死还死不了。这可怎么办呢，天一亮红卫兵就要来了，情急之下咬牙从五楼跳下来，头颅着地，当时就死了，许多人在现场看到，惨不忍睹。那么问题就来了，怎么人家书记挨斗 100 多次，若无其事，你护士长明天才被斗，今天精神就崩溃了。这就是人和人的心理耐受能力、精神、性格和意志及各方面都不一样，所以人和人千差万别，这就是内因不同。

# 病多不是因为钱多，
# 而是因为保健知识不多

病越来越多绝不是物质丰富了，收入多了，钱多了，是因为卫生保健知识没跟上。

近年北京市调查，小学生已经有了高血压，中学生也有动脉硬化了，这就是今天我们要说的问题所在。为什么我们经济发展了，钱多了，物质生活水平提高了，有些人死得更快了呢？有人就以为现在心脑血管病多，肿瘤、糖尿病多，都是经济发达了，生活富裕造成的。

错了，完全错了！我认为这些病并不是因为物质文明提高了造成的，而是因为精神文明不足，健康知识缺乏而产生的。

美国的经济表明：白人跟黑人相比，白人钱多，物质生活好，但是白人高血压、冠心病、肿瘤明显比黑人要少，寿命要更长。

美国白领地位高，收入也高，可是他们各种疾病，远远少于蓝领人，寿命也长，说明什么呢？因为白领人受到较好健康教育，精神文明、卫生知识、自我保健意识高。因此，现在我们得病越来越多，并不是因为物质文明好，而是精神文明不足，一手硬一手软。

如果我们提高了卫生保健知识，那么我们就可在经济发达的同时更健康，而不是病更多，所以首先要提及的是病越来越多绝不是物质丰富了，收入多了，钱多了，是因为卫生保健知识没跟上。

## 不良生活方式的危害

**现实中很多人并不真正懂得什么是健康，没有一个科学的健康观。**

健康长寿是人类最美好的追求，是社会最宝贵的财富。1992 年，世界卫生组织总干事中岛宏博士特意就心脏病指出："当前心血管病每年夺去 1200 万人的生命，占世界死亡总人数的四分之一。如果采取预防措施，每年可减少 600 万人死亡。"

与其说我们是面临着心脏病、脑血管病、恶性肿瘤、糖尿病等疾病的挑战，毋宁说是面临着不良生活方式和行为，或"现代病"、"生活方式病"、"自我创造的危险病"、"人灾"、"慢性自杀"等挑战。世界卫生组织官员警告，过去在未遭受心脏病流行病害的国家中，数以亿计的人们开始采取高危生活方式，而正是这些生活方式，近几十年来已经给许多国家带来了灾难。

现实中很多人并不真正懂得什么是健康，没有一个科学的健康观。这种现象也与人们长久以来形成的文化习性、社会意识有关。

有个德国公司总裁请客，自己点一点儿米饭，一份鱼，一份水果，到最后连一粒米饭都吃得很干净。中国人请客呢，点菜点到吃完饭剩一大桌，还觉得很没面子。有个从国外回来的博士请客，对客人说你别点太多，吃多少点多少。国内的朋友说，你请客还不让多点，真怄门。这个朋友说他是跟德国人学的，浪费可耻。中国人在家里请客，要特别准备好几天，做了一满桌十几桌菜，还说没什么好吃的，请大家多包涵。

还有劝酒，外国人尊敬你，跟你碰一下杯，然后随意。中国人呢，什么"感情深，一口闷；感情浅，舔一舔"。这是文化不同，这是落后的观念，愚昧的观念。在喝酒的问题上，有人说"恭敬不如从命"。而我认为，从命不如恭敬，尊重不是强迫，否则不叫尊重。

我们要提倡一种科学理念，与时俱进的科学理念。不管别人怎么说，我们认为对的就要提倡，要旗帜鲜明地提倡，要敢于提倡正确的健康观念。

# 我的健康我作主

虽然我们不能选择基因，但却能够选择健康。据世界卫生组织报告，健康有四大决定因素：一是内因，即父母的遗传因素，占 15%。二是外界环境因素，其中社会环境占 10%，自然环境占 7%，共占 17%，即内因外因共占 32%。第三是医疗条件占 8%。第四是个人生活方式的影响占 60%。

因此，在我们能够控制的后两种条件中，个人生活方式的因素占 68% 中的 60%，即约九成。美国社会福利局报告：采用医疗方法，花费数百至上千亿美元可以减少 10% 的过早死亡，而用养生预防方法，不用花多少钱，就可以减少 70% 的过早死亡。

另外，科学养生和保健可以使高血压发病率减少 55%，中风减少 75%，糖尿病减少 50%，肿瘤减少 33%，更能使健康寿命延长 10 岁，生活质量也会大大提高。新的研究表明：中年注意养生的人（指零危险因素），与不注意养生的人（有 1~4 项危险因素）相比，老年期 65 岁以上所花的医疗费仅为后者的 1/2~1/3，同时住院次数也大大减少。在这样的一组数据对比中，我们那些总是称自己忙的人，还有理由不预防、不保健吗？

我国一项"九五"攻关研究表明：1 元的预防投入可以减少 8.59 元的医疗费用支出。而临床实践表明又可相应减少近百元的终末期抢救费，更重要的是病人少受罪，家人少受累，节省医药费，造福全社会。

# 死于无知比死于疾病更可怕

*"许多人不是死于疾病，而是死于无知。"*

前世界卫生组织总干事中岛宏博士指出："只要采取预防措施就能减少一半的死亡。"也就是说有一半的死亡完全是可以预防的。因此中岛宏博士说过一句话："许多人不是死于疾病，而是死于无知。"他再三提出告诫："不要死于愚昧，不要死于无知。"因为很多病是可以不让它发生的，是可以避免死亡的。

有一位教授，患有冠心病，本来应该避免突然用力。有一回他搬书，书很重。其实一次搬两三本书一点事也没有，但他一次搬一摞书，一使劲屏气，当即心跳停了。经过全力抢救以后，心跳复苏了，可大脑死亡了，变成了植物人。一个人 4 年医药费花了 150 万元。如果他受过健康教育，知道自己不能憋气，不能突然用力，搬书一次搬两三本就行了，或者干脆不去搬这摞书，就不会变成植物人了。

还有一位同志，在北京 11 月 1 日买了许多白菜放在墙根儿。11 月 3 日下了一场雪，他怕白菜冻坏了，于是从 3 楼下来搬白菜。白菜一棵好几斤重，他第一次搬了 3 棵，从楼下搬到 3 楼阳台，第二次搬了两棵，第三次又搬了两棵，总共五六十斤重。可是因为平常不干活，他一下子上下 3 楼好几趟，累得直喘，越喘越厉害，咳嗽吐痰，吐血沫痰。他感觉不对，赶紧上医院吧！医生一看不得了，急性心肌梗死，赶紧抢救，打了一针药，这一针药 0.1 克 15000 元钱。金子 1 克是 100 元，0.1 克金子才 10 元钱，这个药 0.1 克就要 15000 元。药效果不错，打进去之后病情很快就缓解了。最后一结账，医药费花了 6 万元。想一想，为了这 6 块钱的白菜花了 6 万元医药费，命差一点儿就没了。如果他接受健康教育，知道其中道理，就不会发生这些事呀！

20 世纪 70 年代，在北京东郊某车间，医生为一位 38 岁的头圆、颈短、腰围大的肥胖高血压病人做体检，劝他戒烟，按时服药，病人却若无其事地说："能吃能睡就是没病，力气大就是身体棒。"并当场举起身边一个 100 多公斤的机床部件，毫不费力。在场工人都喝彩："哥儿们，好样的，全车间数你的身体最棒。"3 个月后，在一次过度饮酒后的外出途中，他猝倒在路上，经全力抢救无效身亡。尸检发现：心脏冠状动脉高度狭窄，5 处陈旧性的心肌梗死。一个年轻的生命就这样悄悄地走了，人们惋惜而又诧异："怎么全车间身体最好的倒是死得最早的？"听起来似乎有些矛盾，其实不然，因为他的真正死因是无知。

# 健康金字塔，塔下四种人

第一种人是聪明人，第二种人是明白人，第三种人是普通人，第四种人是糊涂人，四种态度，四种结局。

21 世纪，健康是指躯体的、心理的、社会人际适应的和精神道德上的良好和完满状态。这就好比一层层向上的金字塔，是全方位的概念，而不仅仅是指没有疾病，或没有不舒服，更不是仅仅指体格健壮。

一个人到医院检查，所有化验及 B 超、CT、心电图一切正常。他是否健康呢？不一定，因为如果他做了亏心事，他贪污了，整天提心吊胆，害怕警察敲门，他已经不健康了。有位拳王，天下无敌手，但他也不健康，为什么呢？因为他犯罪进监狱了。因此，健康素质高的人也一定是思想道德、科学文化素质比较高的人。

对健康有四种不同心态的人：第一种人是聪明人，他们主动健康，投资健康，结果健康增值，一百二十；第二种人是明白人，他们关注健康，储蓄健康，结果健康保值，平安九十；第三种人是普通人，他们漠视健康，无动于衷，结果健康贬值，只能带病活到七十八十；第四种人是糊涂人，他们之中许多是白领精英，他们透支健康，提前得病，提前死亡，结果生命浓缩，五十六十。四种态度，四种结局；因为健康面前人人平等，种瓜得瓜，种豆得豆；一分耕耘，一分收获。

# 失去健康，就失去一切

**一个人活到 100 岁还不够，还要健健康康才有意义，不然活着就是受罪。**

我们活到 100 岁还不够，还必须要健康。按照世界卫生组织的定义：65 岁以前算中年人，65~74 岁算青年老年人，75 岁以后才算正式老年人。可现在的情况呢？应该活到 120 岁的却都只活到 70 岁，整整少活了 50 岁。本应该 70、80、90 岁很健康，好多人 30 多岁动脉硬化，40 多岁冠心病，50 多岁脑溢血，60、70 岁活是活着，但是生活质量不高。我们医院有一个病人，4

年植物人，花了 150 多万元。最后死的时候是皮包骨头，浑身褥疮。往停尸房一放，样子吓死人，遗体告别时，美容师给他做整容，把脸上凹的地方贴上蜡，让它凸出来，最后，眉毛是假的，鼻子是假的。到遗体告别时，大家都看不出他是谁了。

还有一个病人，住院每天花费 3000 多元钱，前前后后花了 50 多万元，最后还是死了。50 万对他来说倒是小事，但是 14 个人照顾他一个人，为什么呢？他一进重症监护室，就有 6 个护士在左右护理着；他家里人觉得 6 个护士照顾不放心，又雇了 3 个保姆，6 加 3，这就 9 个人了；两个女儿轮流值班，11 个；老伴天天到，12 个；住院医生管着他，13 个；科主任查房，14个！14 个人照顾他一个人，半年花了 50 万也没能活过来。

所以说，一个人活到 100 岁还不够，还要健健康康才有意义，不然活着就是受罪。没有了健康，一切的幸福生活都将不存在。

最近调查显示，中国人寿命不短，但是健康寿命不长。我们的平均寿命是 71.8 岁，已接近发达国家的水平，但我们的健康寿命才 62.3 岁，世界排名第 81 位，而日本以健康寿命 74.5 岁排在第 1 位！

中国人有个观念，叫"好死不如赖活着"。就是活着是活着，癌症也算活着，植物人也算活着，但生命质量极差，这不是我们所要的，我们希望的是健康 100 岁。

健康 100 岁够不够？还不够，还要快乐。一个人的最高境界，活在世界上天天要快乐，生活才有意义。每天都高兴，每天都快乐，太阳每天都是新的，心情每天都是好的，生活每天都是充实的，活到 100 岁，又健康，又快乐，这才是我们倡导的健康新观念。

# 最好的药物是时间

高血压耽误 12 年，透析花了 90 万元。

最好的药物是时间，什么意思呢？有病越早发现，越早治疗就越好。我们有个尿毒症病人其实是被 12 年的高血压耽误了，结果透析花了 90 万元。其实你早发现，治疗很简单，像高血压，一天一片药，3 个月到半年就好了，那样费用小，还不得并发症。你要耽误三五年甚至更长时间，那就不是一片药的问题了，可能需要两种药住一起吃。你再耽误十几年脑出血了，那就不是一片药两片药管用的，得开颅打洞、抽血。如果是心肌梗死，你得马上到医院打上一针药，半个小时一个小时化开了还算好。可如果 6 个小时后，再送医院，效果就差了。如果 12 个小时后，药毫无效果，你打几针都不管用。相反你早去，不用打 15000 元的药，1500 元的国产药就管事，所以说时间是最好的药物。

# 1 元钱比 90 万更管用

一天一片药，不到 1 元钱就能控制住，有病没有按照科学的办法来治疗，结果花了 90 万。

我国人均寿命 71.8 岁，但健康寿命仅 62.3 岁。如果我国人均健康寿命通过预防养生能延长 10 岁，那我国人民的健康水平也能跻身世界前列。同时每年 6100 亿元的卫生资源消耗，7800 亿元的因病、因伤残、因过早死亡的损失也将减少一半左右。"有病看西医，养生找中医，若想寿而康，九成靠自己。"由此可见，我们的生活习惯对自身健康的重要性！

北京安贞医院有一例患者是一个 14 岁的东北小女孩，心脏移植以后存活了 214 天，花了 20 多万元，每天 1000 多元，一瓶口服液 100 毫升 5000 块钱，打一针就 1500 块钱，太贵了。

再比如治疗冠心病，可以在堵塞的心血管处插一根导管，再放个支架就可以了。好倒是好，这个支架内径 3 毫米，重量不到 0.5 克，多少钱呢？2.5 万元钱，一次就两三个。再搭一根导管，1.8 万元 1 根，用一次就得扔了，做一回 5 万、7 万、10 多万，代价太高了。而且高科技不可能使人恢复到原来没有病的状态，我们仍然不如不得病好。

有个同志患高血压 12 年，他的血压很奇怪，高压到 200 也不难受，可一吃降压药他倒难受了。他打听了两个医生，一个医生说，你必须吃药；一个医生说，既然吃药难受，你就别吃药了吧。于是，他就不吃了。12 年下来，动脉硬化、尿毒症，还要透析，一个星期换 3 次血，1 年 9 万元钱，结果透析了 10 年，花了 90 万元，他爱人为他请了 10 年假。他整天坐在轮椅上，活不活死不死，浮肿贫血，最后还是死了。

其实一天一片药，不到 1 元钱就能控制住，有病没有按照科学的办法来治疗，结果花了 90 万。预防其实很简单，可以让很多人不得病，从这方面来讲，高科技远远不如预防来得好。

# 生物钟你慢慢走

**40岁以前用命换钱，40岁以后用钱买命。**

按大自然的进化，人的生命之树是120岁后自然凋亡。也就是生物钟按正常节律运行。

但有的人的生物钟运转得飞快，40岁就走完了90岁的人生路了，美好的人生两个春天只剩下辛勤劳苦的前半个残春了，可怜又可叹！

为什么他们的生物钟走得这么快呢？

一些年轻人有自己的时髦观念：40岁以前用命换钱，40岁以后用钱买命。他们忘记了一条朴素的真理：生命是一条单行线，没有回头路，一江春水向东流，永不复回。

健康、事业、金钱三者之间是有矛盾的，但并非对抗矛盾而是协同运作。健康是最重要的，是重中之重，应当倍加珍惜，失去了这个1，其余都是0。事业很重要，应当尽力而为，但只是拼脑拼劲不拼命。金钱亦重要，应当努力争取，但也只应出力出汗不出血。国外许多白领是透支金钱，储蓄健康，因为"天生我才必有用，千金散尽还复来"，相反，眼下我国许多年轻人，求富心切，急功近利，透支健康，浓缩生命，储蓄金钱，留作后事，这种做法不论表面多么时尚风光，其实是等而下之的下策。

他们还犯有一个低级错误，就是跟着感觉走，漠视健康，失去才痛惜。高血压不痛不痒，不难受，成了"悄悄的凶手"；糖尿病症状不多，不重视，成了"甜蜜的凶手"；高血脂毫无症状，成了"无声的凶手"；吸烟使人欣快，成了"微笑的凶手"，每个凶手都能加快生物钟运转，都能使冠状动脉粥样硬化发病率增高1倍，4个凶手一协同，其合力是以几何级数倍增，即1个凶手使发病率变为两倍，2个凶手为4倍，3个凶手为8倍，4个凶手为16倍。人的生命很脆弱，谁也经不起群凶的合力摧残。

对健康，有的人一叶知秋，未雨绸缪，关爱自己；有的人麻木不仁，任生命自生自灭；有的人烟酒无度，饮鸩止渴，残害自己。生命自有生命的规律，健康面前人人平等。种瓜得瓜，种豆得豆。对透支健康，浓缩生命，作践自己的人，到时候，只能是"无可奈何花落去"，"一缕青烟飞天外"。你不爱生命，生命不爱你，再简单不过了。

要让生物钟慢慢走，关键是什么呢？当然是维多利亚四大基石了：合理膳食，适量运动，戒烟限酒，心理平衡，也就是"四君子"。因此，要把握好自己的生物钟就要多近"四君子"，远离"四凶手"，多交健康朋友，远离健康凶手。另外每个人都有自己特定的生活节律，不要随意变动。研究证明：扰乱生物钟节律可使寿命缩短10%以上。

要让生物钟慢慢走的各项保护因素中，什么是最关键的呢？研究表明心理因素居第一位，就是天天都有好心情是生物钟的最佳朋友。

孤独对人是一种折磨，孤独和痛苦不亚于贫穷和疼痛。因此，友情、亲情和爱情就是一剂心灵的良药，对健康至为重要。有了好心情，神经系统分泌更多的内啡肽，使调节功能、代偿功能、免疫功能、康复功能都处于最佳水平，不仅各种疾病减少，而且皮肤滋润，容光焕发，神清气爽，精力充沛，整个生命处于"春风桃李花开日"般的和谐运行中。

好心情又取决于什么呢？实际上就三个字："世界观"。一个人有了正确的世界观，他就能正确地对待自己，正确地对待社会，这样他就会乐观地面对一个正确的世界，"顺天者昌"，他就会拥有一个光明的未来。

# 健康要从娃娃抓起

**儿童得了成人病，青年得了老年病。**

我们关注的不应是疾病而应是健康，我们都健康不得病，个人少受罪，家人少受累，节省医药费，还能造福全社会。

据北京的一项调查，北京人平均得6种慢性病：高血压、高血脂、脂肪肝、心脏病、冠心病、癌症，再加上前列腺肥大、青光眼、糖尿病、白内障、骨质疏松，可以说是一身是病。

最近更是不得了，据流行病学调查，发现小学生肥胖、高血压；中学生得了脂肪肝、动脉硬化；儿童得了成人病，青年得了老年病。当前的情况是，提前得病，提前衰老，提前残废，提前死亡，已成为普遍现象。现在糖尿病、高血压患者越来越年轻化了。我们大院里有一个孩子，小学六年级体重198斤，初中二年级脂肪肝连着动脉硬化，这样下去啊，真是灾难。

所以，健康应该从娃娃抓起，让孩子从小就按照科学的生活方式生活，不要提前得病，提前残废，提前衰老，提前死亡。让我们都能够健康七八九，百岁不是梦。我们健康了，个人少受罪，家人少受累，节省医药费，还造福全社会。何乐而不为呢？

# 恐慌比病毒更可怕

*有一种伴随"非典"而来的精神病毒叫恐慌，却比"非典"本身更可怕。*

恐慌使人群免疫力下降，疾病发病率上升，恐慌使病人丧失信心，抵抗力进一步降低，病死率增高。

众所周知，病毒因有传染性、致命性而十分可怕。1918年的流感病毒侵犯了5亿人口，夺走了2500万人的生命，超过第一次世界大战4年死亡人数的总和。艾滋病20年来造成2800万人死亡，目前还有4300万患者，并且每天新增病人1.5万人。而一场突如其来的"非典"使满园春色的古都变成满街口罩的城市。但再可怕的"非典"，也是可防、可治而不可怕的。

然而有一种伴随"非典"而来的精神病毒叫恐慌，却比"非典"本身更可怕，虽然电子显微镜下看不见，但恐慌传播速度之快，杀伤力之大，却远远超过"非典"。这让我们想起了一个西方寓言：有一天，上帝决定惩治某些人，于是派霍乱之神——霍列拉到人间，让他杀死3万人。过了一段时间，霍列拉回去复命时，上帝发怒了："我只让你杀死3万人，你为何杀死20万人？"面对上帝的质问，霍列拉感到很委屈："我只杀了3万人，其他的17万人都是他们自己把自己吓死的。"这则寓言说明了恐慌心理的巨大负面影响。

恐慌使人群免疫力下降，疾病发病率上升，恐慌使病人丧失信心，抵抗力进一步降低，病死率增高。恐慌与病毒流行结伴而行、狼狈为奸，但却比病毒更加可怕。恐慌不仅杀伤力大，而且传播速度要比真正的病毒快上千百倍。某地一个镇上，传说一个婴儿降生时就会说话，说要煮上一锅绿豆汤，还要放鞭炮才能驱除"非典"，说完后不久孩子就死了。这个消息不胫而走，竟然在一夜间传遍了 4 万人的小镇。很快，全县上百万人受到影响，人人自危。后来由镇副书记亲自出面，开大会公开辟谣，贴出大标语，电视、电台、报纸也全面正面宣传，终于迅速平息了这个荒诞不经的谣言。

恐慌来自何处？与病毒不同，恐慌是来自我们自身的无知和无奈。一个人只要有科学知识、科学素养、科学的世界观，那么再大的天灾人祸、突发事件，他都会冷静地面对，理性地认识，智慧地战胜，他都能做到自信、自强、自制，都不会被灾难吓倒。在这里，精神的力量真正超过了物质的力量。

自信和信心的力量有多大呢？对群体而言，自信和信心的力量强大得不可思议，不仅气吞山河而且可以移山填海。

"非典"来势汹汹，黑云压城，似乎势不可挡，但在中国人民充满自信、指点江山、团结拼搏中灰飞烟灭，"纸船明烛照天烧"了。

对个体而言，自信和信心能显著提高机体免疫力，增强免疫细胞对细菌病毒及肿瘤细胞的天然杀伤力。一位患"非典"康复的白衣天使说得好：是自信心救了我，自信起了一半以上的作用。自信的力量是极为珍贵的。研究表明：集体心理治疗，通过提高病人的自信心，使癌症病人情绪波动小、痛苦少、免疫力增强，结果生存时间比被动接受治疗的对照组患者长两倍。在一组 159 名被临床医师认为活不到 1 年的晚期癌症患者中，通过暗示疗法，增强了自信，结果近 1/4 的病人部分或全部恢复了健康，平均活了 20 个月。恐慌和自信对健康和生命是有天壤之别的影响。

医学之父希波克拉底指出："病人的本能就是病人的医生。"这里还要加上一句，就是这个医生的能力大小是固定不变的，而是取决于病人的心理状态，其中的差异可以决定病人的生死。

## 你比布什总统还忙吗？

68.6%的公务员平均每天用于运动健身的时间不足半小时，62.7%的公务员每天与家人在一起交流的时间不足半小时。

据我们对公务员做的健康调查结果显示，68.6%的公务员平均每天用于运动健身的时间不足半小时，62.7%的公务员每天与家人在一起交流的时间不足半小时。可别小看了这两个半小时，它可能就是你身体健康和家庭健康的最大隐患。

不久前，美国白宫总统保健医生给布什总统开了一个健康处方，那就是要与夫人多相聚、共进晚餐，还要手拉手、多走走，这样才能令夫妻感情好、误解少。

也许很多人都会说，我们忙，没有时间怎么办？我对大家讲，今天的社会正处在大发展时期，大家都很忙，我自己也很忙。但我们再忙，能忙得过邓小平同志吗？他70多岁时主持中国改革开放，日理万机，可还是能抽时间和小孙女一起锻炼身体；我们再忙，能忙得过美国总统小布什吗？他每天能运动1小时！每天与夫人话聊两小时，你才半小时。

小布什带头坚持长跑，号召全美国人参加运动，他跑5公里用21分多钟，比我们大学生跑得还快，为什么我们不能呢？说到底，这不是时间问题，这是一个观念问题，说明你的健康观念有问题。无论你有多忙，只要你真正能够认识到健康快乐的重要性，你就一定会有时间来锻炼身体。

## 身体健康才是 "1"，其他因素都是 "0"

**拥有健康就有希望，就拥有未来；失去健康，就失去了一切。**

人生的各个要素：金钱、地位、财富、事业、家庭、子女都是 "0"，只有身体健康才是 "1"。拥有健康就有希望，就拥有未来；失去健康，就失去了一切。一个人能力再强，本事再大，就算你是个劳模，荣誉是谁的啊？荣誉是领导的。没有领导的关心、爱护、帮助扶持，你怎么会有今天的荣誉？成绩是谁的啊？成绩是大家的。没有大家齐心协力，互相帮助，你又怎么能取得好的成绩呢？金钱是谁的呢？金钱是子女的。你就是有金山、银山，你死了是 1 分钱也带不走啊！你只得是空空手来，空空手走。老伴是谁的呢？老伴是人家的。今天你死了，明天老伴跟别人走了！荣誉是领导的，成绩是大家的，金钱是子女的，老伴是人家的，只有身体是你自己的。我们一定要关爱自己，因为健康的钥匙就在自己的手里。

我们所说的 "健康 100 岁"，关键是头 60 岁，要想 60 岁健康，关键要把住 20 年，男人是 30 到 50 岁，女人是 40 到 60 岁。如果现在你不开始重视健康，储蓄健康，关爱家庭，你就不能保证 60 以前不得病，又何谈健康快乐 100 岁呢?!

我们这本书，并不能给你多少钱，多少时间，但是我们给你的观念就让你有时间运动了。读了这本书，你就有时间运动。你就有时间话聊，你就有时间和家人一起牵手出去走。我们说不要引爆定时炸弹，读了这本书，你就可以避免中年猝死，预防中年人心肌梗死。现在有70%的家庭处于亚健康、亚死亡状态，我们这本书就可以预防家庭亚健康，这本书能够拯救家庭亚死亡！读了这本书，幸福和健康将伴您一生！

# "一二三四五"，健康常相伴

天天三笑容颜俏，七八分饱人不老，相逢莫问留春术，淡泊宁静比药好。

总的来说，可以用四句话概括健康，即一二三四五；一个中心、两个基本点、三大作风，四四秘诀。

**一个中心**——以健康为中心。

**两个基本点**——即糊涂一点，潇洒一点。过去毛主席曾经高度评价叶剑英元帅：诸葛一生惟谨慎，吕端大事不糊涂。当年有人把吕端告到皇帝那儿，说吕端这个宰相老糊涂了，皇帝很生气："吕端哪儿老糊涂了，你才叫糊涂蛋呢！吕端是大事清楚，小事糊涂。他是装糊涂，你才是真糊涂。"人家叶帅，一生做事小心谨慎，又能大度无私。

潇洒一点，即站得高一点，看得远一点，心胸宽一点，肚量大一点，这样做人、做事都好办。

**三大作风**——即助人为乐、知足常乐、自得其乐。助人为乐是最大的快乐，比上不足、比下有余。知足常乐、自得其乐，人要是倒霉了，也要高兴，你现在倒霉，意味着光明就在前面。苦难是生活最好的老师，是人生宝贵的财富啊。今天的幸福是过去多少年、多少人用血汗换来的，所以我们现在的困难，跟他们那时去比啊，根本不算什么。

四四秘诀——即四大基石和四个最好。四大基石是合理膳食、适量运动、戒烟限酒、心理平衡；四个最好是最好的医生是自己、最好的药物是时间、最好的心情是宁静、最好的运动是步行。有了这些，基本上不要吃什么药，我们个个都能健康七、八、九，百岁不是梦。最近我们总结了四句话：天天三笑容颜俏，七八分饱人不老，相逢莫问留春术，淡泊宁静比药好。只要我们按照这些来生活，所有的病都没有，我们都能健康 100 岁，快乐每一天。

## 演艺明星更要做健康明星

**食无定时，居无定室，食不甘味，寝不安席，酒不离口，烟不离手。**

近日，一位深受观众喜爱的电影演员因为肝脏坏死而做肝移植手术，成为大家关注的热点。而他患病原因就是由于乙肝和超负荷工作。

为什么演艺圈内出现健康危机？原因固然多多，究其病因，据说主要是在群星争辉的演艺圈内，有些人遭受生理与心理双重压力，演员的特殊生活环境，往往食无定时，居无定室，食不甘味，寝不安席，酒不离口，烟不离手。很多人也把生活不拘小节当作"家常便饭"，心理不够健康；更甚者，有些演员勾心斗角，争名夺利，不厌其烦地拼命捞钱。因此生理压力和心理压力双层挤压，此起彼伏，身心怎能不受到损害？

其实，岂止演艺圈里如此。当今经济社会竞争如潮，为了在竞争中夺魁，在交易中挣钱，不顾健康，忘却身体者，何止只有明星与演员？君不见，在企业界、在文化界、在各行各业中亦大有人在。有些频频应酬，经常沉溺于灯红酒绿之中，潇洒于石榴裙之下，酒喝不够，烟吸不完，三日一小酌，五天一大宴，溢满脂肪的肚子鼓得胖胖的，把身体置之度外连健康都不要了。因此，有些人年纪尚在"风华正茂"时期，就体弱多病，什么心脑血管病呀，什么脂肪肝呀，什么失眠症呀，还有什么忧郁症呀，等等，成了"病篓子"；甚至有的英年早逝。笔者绝无排斥应酬之意，而实有关注健康之心。这种健康危机的信号，与演艺圈的情况一样，不能不引起社会的关注。而这些，足以引起公务员们的反思。

如果人生只有一次选择，你选择什么？大多数人会选择健康。人的生命只有一次。人生在世，健康为重。虽然生活离不开金钱，但金钱再多，身体多病，那金钱又有什么用呢？艺术生命虽然重要，但病魔缠身，甚至生命消逝，那艺术生命还有什么意义呢？现在，演艺圈内发出了健康危机的信号，举一反三，不论是谁，都应引以为戒，提高警惕，惟健康第一。

# 第二部分

## 男人四十　十面埋伏

　　男性到40岁是一个大关。这时，男人负担最重，压力最大，上下左右、交际应酬、职位职称、事业荣誉、官场仕途、妻儿老小，一样都不能少。这个时候，对男人来讲，最烦心的是名利，最费心的是工作，最省心的是健康，因此他们忽视健康，等到功成名就，却发现，健康没有了。他们忘了，健康是件艺术品，损坏容易修复难；生命是条单行线，一江春水向东流。这时候后悔已晚。世上有千种药，万种药，惟独没有后悔药。

男人四十，十面埋伏；
谁来领路、女人和书。

最好的医生是自己，
最好的药物是时间。
最好的心情是宁静，
最好的运动是步行。

世上只有家最好，男女老少离不了。
男人没家死得早，女人没家容颜老。
有家看似平淡之，没家之刻凄惨惨，
外面世界千般好，不如回家乐逍遥。

洪昭光健康箴言

# 男人处境不太妙

**俄罗斯男性比女性短寿13岁，在我国短4岁，日本短6岁。**

到底有哪些真实处境呢？信手拈来列举几项：

女性企图自杀人口是男性的两倍，但男人自杀身亡者是女人的三倍；40岁以上男性性功能障碍者达五成以上，且有不断攀升之势；男性医疗就诊率较女性低28%；男性平均寿命较女性短6~8年；成立之离婚案中，近八成由女性主动提出（美国2000年）；女硕士是男生的1.38倍（英国）；每天有100个男人因监护权判决而与孩子分开（墨西哥2003年）。当然，还有更多隐而未现或难以量化的数据和趋势现象。

男人从记事那天起，就开始接受一种教育而逐渐形成一种观念：男人是强者。男人要伟岸，男人要强大，男人要有责任感。

——早在儿童时代男孩子就已经懂得，男子汉气概意味着男人不能依赖任何人，依赖被视为懦夫和女人气。

——"男儿有泪不轻弹"、"女人才爱哭鼻子"，女人的眼泪让人同情，男人的眼泪让人反感。

——为保持男子汉的形象和在竞争中取胜，男人在互相交往中总是保持高度警惕和戒心，难于开诚布公，生怕暴露自己的缺点和弱点，变得封闭和孤独。

——传统观念强迫男人有决断能力、思维严谨、头脑清晰，使得男人的头脑很难同时接受那些模棱两可的、矛盾的事物，变得刻板、僵硬、绝对，要么自负，要么自卑，难以在生活中取一种变通坦诚的态度。

基因研究表明：男女区别不大，男女之间有99.9%的基因是相同的，只在性染色体上有差别。生理上，男性的体格、肌力、速度、空间定向力优于女性，而女性在语言表达、人际交流、对付应激、适应环境方面优于男性，总体上两性差别很小，尤其在现代信息社会不存在"强者"、"弱者"之分。但人类文化制造了"男子优越"的种种神话，使男人为此付出不可估量的代价，使男人死得越来越快了。为了维护"男子汉"的尊严，成千上万的男人，正处在自我加压、自我挣扎、自我困惑和自我毁灭之中，压力大、竞争大对健康的伤害越来越严重，使寿命相对于女人来说也越来越短。在我国短4岁，日本短6岁，俄罗斯男性比女性短寿13岁。

# 男人死得越来越快了

给男人戴高帽戴得太多了，太过了，硬把男人当强者，结果男人死得越来越快了。

社会学家发现，现在男人们死得越来越快了。什么道理呢？其实，男人是世界上最脆弱的群体。不是说"女人是弱者，男人是强者"吗？错了。就是因为给男人戴高帽戴得太多了，太过了，硬把男人当强者，结果男人死得越来越快了。

其实，男性健康与妇女、老人、儿童健康同等重要。人类社会是由男女共同组成的，任何一部分出了问题都必然影响到整个社会的健康发展。以前，过分强调了保护弱势群体，反而把男人当作强壮、健康的代名词，忽略了关注男性健康。那么，到底是什么原因导致目前男性健康成了大问题呢？这其中的原因是多方面的。

## 其实男人更需要关爱

男人是社会上最脆弱的群体，男人比女人更需要关爱，因为男人死得越来越快！

最近，我读到一篇文章，说男人是社会上最脆弱的群体，男人比女人更需要关爱，因为男人死得越来越快！当今社会生活紧张，工作繁忙，压力大，节奏快。可以说每个人都感到做人很难，做女人难，可是作为男人呢？那更是难上加难啊！

多少年来，我们的社会给男人制定了不少法律条文，但效果比法律条文毫不逊色的规定，诸如三十而立，四十不惑……这些来自民间、一代一代沿袭下来的说法，其影响深入人心，将那些为人生有所设计的男人逼得要碰墙。在上有老、下有小、前有上司、后有老婆等重重压力下，他们不能干这不能干那，他们的许多选择就变得如数字逻辑般循规蹈矩。所谓的"三十而立，四十不惑"已经变成了"三十而栗，四十不活"了。

根据社会学家统计，共和国刚刚成立的时候，男人比女人的寿命长3岁；到了20世纪60年代，男女的寿命基本上持平了；70年代，女人的寿命比男人反而长了1岁；80年代，女人的寿命要比男人长两岁；到了90年代，女人比男人的寿命长 4 岁了。照这个趋势发展下去，21 世纪的男人就没有活路了。

# 男人长寿的四大障碍

**男人有泪不轻弹，男人有话不爱说，男人有病不去看，男人有家不爱回。**

男人的寿命比女人短，为什么呢？单从医学角度上是解释不了的。最终社会学家通过社会调查得到了答案。男人比女人寿命短，有四条理由：男人有泪不轻弹，男人有话不爱说，男人有病不去看，男人有家不爱回。

第一条，男人有泪不轻弹。"男儿有泪不轻弹"、"女人才爱哭鼻子"，女人的眼泪让人同情，男人的眼泪让人反感。女人难受可以哭。女人越哭越显得小鸟依人。男人一哭不是窝囊，就是废物，所以男人不敢哭。

每个人的一生中，总是会遭受许许多多的不如意，每一个人都可能因为失落、难过而产生情感上的反应，哭自然是人类的本能，是人类宣泄内心感受的一种方式。然而现实社会却人为地剥夺了男人哭泣的权利，使男人缺少了可以排遣内心苦闷的途径，即使自己内心难过，也要强忍着泪水往肚里咽。孰不知，这必然会因为男人无法排遣苦闷而造成心理上的负担，日久天长，自然影响到健康。

第二条，男人有话不爱说。为保持男子汉的形象和在竞争中取胜，男人在互相交往中总是保持高度警惕和戒心，难于开诚布公，生怕暴露自己的缺点和弱点，变得封闭和孤独。

有苦不爱说，叫"打碎了牙往肚子里咽"。有个病人，40 岁出头，大款，开房地产公司，亿万富翁，是个南方人，又瘦又小。他说："洪大夫，你别看我又瘦又小，我这人特别坚强。房不好做，受苦受累受委屈，多着呢！但我表面上若无其事。我跟我爱人讲，你放心，什么都不用你管，天塌下来我顶着。"现在顶得心肌梗死了，我问他还顶不顶了，他说再也不顶了。

第三条，男人有病不去看。国家统计局有个数字，同一种病，男人去看医生的比女人少 40%。男人有病拖着、扛着、挺着，实在不行了才去医院，去了才发现，晚了。有一个大款，开公司董事会时，突然胸痛发作。疼极了，不说，忍着，实在忍不住了，自己偷偷用手按摩，还疼，捶捶胸口，还不行，喝热水……最后越来越厉害，出冷汗，脸色苍白。别人一看不对了，3 个人把他送到安贞医院。一做心电图，心肌梗死，打一针 1.5 万元，不行了，晚了，抢救不过来了。

第四条，男人有家不爱回。对现在的许多男人而言，下班就回家像是一种无能的表现，所以他们中的许多人更愿意下班在外面玩，在酒吧里度过夜晚的时间。

# 文化高了，寿命短了

知识分子的平均寿命比 10 年前下降了 5 岁，仅为 53 岁，比全国平均寿命则低 17 岁，中年知识分子死亡率更是超过老年人两倍，死亡年龄段多为 45~55 岁。

49 岁的刘先生是某事业单位的正处级干部，近半年来一直腰酸腿痛到夜不能寐，但是却舍不得放下工作一天去医院进行正规的诊疗，一日三餐中有三分之二的饭局都在接待应酬中度过的，他以为晚饭后随便按摩一下就可以解决问题，工作应酬和治病两不误嘛。待到病情已经加重到发生骨折，刘先生才15年来首次踏进了医院的大门。在医院全身一查，原来他已经是肺癌全身骨转移导致病理性骨折。到处求医的刘先生家人被多家医院告知这么晚期的病例，基本没有治疗的价值了。

像刘先生这样总以工作为借口死撑着不看病的中年知识分子很多。某市政府做过调查，机关里健康状况最差的是中年人，但他们却以工作太忙为借口极少请假看病，经常到医务室理疗、开药的老年人总体健康状况反倒优于中年人群，于是该单位的中年人平时看起来好像没事，个个都是10年、20年没病过，但一病倒全是大病、重症。

最新的调查发现，知识分子的平均寿命比10年前下降了5岁，仅为53岁，比全国平均寿命则低17岁，中年知识分子死亡率更是超过老年人两倍，死亡年龄段多为45~55岁。

### 吓一跳——检查发现癌症已晚期

广州某文化事业单位今年初先后有两名中年干部发现患了癌症后，今年5月的单位年度体检参检率高于历年。不检不要紧，一检吓一跳。600多名知识分子员工心电图异常的达28%，包括心肌劳损、高血压、冠心病等异常，比去年增加了一倍。这次体检新发现了3例晚期癌症患者，全部是45~55岁的中年骨干，有的癌症已经转移。无独有偶，广州某大医院今年的员工体检新发现3例晚期肝癌患者，全部是41~42岁的专业人才，一人最近已经死亡。

**让人忧——七成在职人员亚健康**

公务员、新闻从业人员、教师、科技人员，这些令人羡慕的行业里，中年知识分子的健康问题到了令人十分担忧的地步：科技人员在 35~55 岁就英年早逝的比例偏高；在死亡的新闻工作人员中，死亡年龄段高度集中在中年人群，40~60 岁这个年龄段占 79%，平均死亡年龄为 45.7 岁。而在职人员健康者仅为 18%，患病者为 9%，其余不同程度处于亚健康状态。亚健康的表现大致有身体乏力、睡眠不稳、记忆衰退等。

**太操劳——近 5 成人生病还上班**

长期习惯于吃苦、奉献，从轻伤不下火线到带病工作，到倒在工作岗位上，过劳是导致中年知识分子健康恶化的主要原因。一份针对新闻从业人员的调查显示，61%的人没有享用国家规定的每年一次的公休假，而生病时有44%的人照常上班。

# 男人七等，心态难平

一等男人最有钱，二等男人最风流，三等男人差一点儿，四等男人下班就回家，五等男人是回家以后家里没有"她"，六等男人回家看到"她"和"他"，七等男人是"孩子长大了，越看越像她的他"。

社会上有人调侃，把男人分成七等。

一等男人最有钱，百万千万亿万富翁。钱多了，春风得意，忘乎所以，家外有个家，金屋藏娇，包二奶。这是一等男人，最风光。

二等男人最风流，他没一等男人那么多钱，但也有，他身边有朵花，养个情人，天天过情人节。这两种人别看风光、风流，其实做贼心虚，总是提心吊胆，怕老婆发现，经常心跳过速，心态不好。

三等男人差一点儿，可也有钱，需要女人的时候到洗头屋、洗脚屋、酒吧间抓一个。但是现在总扫黄，警车一到，心惊肉跳，血压就升高。

四等男人下班就回家，回家就进厨房，星期日和妻子一块买菜、逛街，心态平衡，被女人们誉为"模范丈夫"。

五等男人是回家以后家里没有"她"。因为妻子对他有意见，到外面找别的男人去了，所以他回家看不到她，她一看他就生气。

六等男人回家看到"她"和"他"，这女的把别的男人带回家里来了，他一看就更生气了。

七等男人是"孩子长大了，越看越像她的他"。这心态怎么能平衡？

## 40 岁是男人健康的关口

据 5 万多人的调查表明，40 岁以前慢性病患病率是缓慢上升，总体上处较低水平，男性为 9.9%，但 40~44 岁，患病率急剧上升至 20.9%，肥胖率也倍增，40 岁这个转折点非常明显。

要过好人生 100 岁，最关键的先要过好第一个春天，头 60 岁，即耕耘劳作的春天。第一个春天过好了，第二个春天，60 岁以后，即收获享受的春天就好过了。因为退休后，压力减轻了，时间富裕了，阅历丰富了，经验成熟了，就容易一马平川，一路平安到 80 岁，80 岁以后只要好好关爱自己，不伤害自己，可以 20 年不变，平安到 100 岁，无病无痛，无疾而终。

但是，如果 60 岁以前一身是病，糖尿病、冠心病、高血压，慢性病集一身，退休时，身体已经"糟"了，那么以后是肉体痛苦，精神折磨，七老八十，身心煎熬，人财两空。所以关键是人生第一春。

那么，60 岁以前，什么时候最重要呢？60 岁以前还有一关，这一关是 20 年，是各种疾病的高发期。男女有别，男的 30~50 岁，女的 40~60 岁。男性在 30 岁以后，是动脉粥样硬化的快速增长期，是健康易损期，慢性病高发期。在 30~50 岁这 20 年当中，40 岁最重要。据 5 万多人的调查表明，40 岁以前慢性病患病率是缓慢上升，总体上处较低水平，男性为 9.9%，但 40~44 岁，患病率急剧上升至 20.9%，肥胖率也倍增，40 岁这个转折点非常明显。更重要的是体质、体能，心、肺、脑、肾功能逐步下降。

# 赢得世界，失去自己

健康是件艺术品，损坏容易修复难；生命是条单行线，一江春水向东流。

男性到 40 岁是一个大关。这时，男人负担最重，压力最大，上下左右、交际应酬、职位职称、事业荣誉、官场仕途、妻儿老小，一样都不能少。这个时候，对男人来讲，最烦心的是名利，最费心的是工作，最省心的是健康，因此他们忽视健康，等到功成名就，却发现，健康没有了。他们忘了，

健康是件艺术品，损坏容易修复难；生命是条单行线，一江春水向东流。这时候后悔已晚。世上有千种药，万种药，惟独没有后悔药。所以，《圣经》里讲："赢得了世界，却失去了自己。"

## 公务员：卸下你的假面具

为人处世，既不能随意，也不要刻意，但要注意。

很多男人有苦往自己肚里咽，有病不说也不去医院看，这些都是典型的心理防卫。男人怕说出自己的弱处会被别人瞧不起，怕因为自己的病影响仕途的发展。所以说男人都戴着假面具。可这些也不是他们愿意的，这是被迫的苦。

人们一直要求男人只许成功，不能失败，男人是强者，他只能前进，不能后退。女人下岗没有太多压力。不成功就回家。男人下岗，能急出脑溢血。

人生的成败就是你怎样去选择。对你来说什么更重要。选择决定人生。舍得，舍得，有舍才能有得，得失，得失，有得必然有失。

要不要名利？要名利，没有名利，你活都活不了。但是不要刻意追求名利，为了名利不择手段，不顾后果，不计成本。为人处世，既不能随意，也不要刻意，但要注意。

# 不健康的生活方式和观念是罪魁祸首

我国中年人群今后 10 年脑卒中发病率增加，男性是 42%，女性是 13%，55 岁以前，男性患高血压的风险远远高于女性，而男人不健康的生活方式是导致发病的最主要原因。

越来越多的资料表明，各种慢性非传染性疾病即"生活方式病"正在侵扰年轻男士。男性的心血管疾病的发病率高于女性，冠心病的发病率平均年龄比女性早 10 年。专家预测，我国中年人群今后 10 年脑卒中发病率增加，男性是 42%，女性是 13%，55 岁以前，男性患高血压的风险远远高于女性，而男人不健康的生活方式是导致发病的最主要原因。

有数据表明，有 20%的男士从不做任何体育锻炼；50%的男士借口"没有时间"、"工作太累"、"我有更重要的事得做"等理由，不愿意花时间锻炼。此外，有吸烟、酗酒等不良生活习惯的男性也远远多于女性。

不仅如此，男士的健康意识相当淡薄。男士患病后，往往不愿意主动就医，恰恰是他的耐受力和抗病力比女性差。80%的男性重病患者说，就是因为自己不去医院，觉得没什么大不了的，结果小病酿成大病，贻误了最佳治疗时机。

医生有三大法宝：语言、药物、手术刀。
——医学之父波克拉底

少做多说是多做，
多做少说是少做。

出力出汗不出血，
拼脑拼劲不拼命。

四君子汤

君子量大，　小人气大。
君子不争，　小人不让。
君子和气，　小人斗气。
君子助人，　小人伤人。

洪昭光健康箴言

# 男性健康的十大标准

关爱自己的男士们，认真对照检查一下，有几条跟你沾边？

世界卫生组织提出了男性健康的十大标准：

(1) 有充沛的精力，能从容不迫地负担日常生活和繁重的劳动，而且不感到过分的疲倦和紧张；

(2) 处事乐观，态度积极，乐于承担责任，事情无论大小不挑剔；

(3) 善于休息，睡眠好；

(4) 应变能力强，能适应外界环境的各种变化；

(5) 能够抵抗一般性感冒和传染病；

(6) 体重适当，身体均匀，站立时头、肩、臀位置协调；

(7) 眼睛明亮，反应敏捷，眼睑不发炎；

(8) 牙齿清洁，无龃齿，不疼痛，牙龈颜色正常，无出血现象；

(9) 头发有光泽，无头屑；

(10) 肌肉丰满，皮肤有弹性。

# 长了脾气，丢了健康

美国的研究人员对七百多名年龄在 40 岁的男士进行了 5 年的跟踪调查，发现其中 5.8%的人平时很容易生气，这 5 年中，他们都因为生气至少得过一次心脏病。

现在，许多男士生意场上得意，成了富翁、大款，香车、美女不离左右，秘书、保镖前呼后拥，渐渐地身价长了，腰围长了，脾气也渐长，颐指气使，刚愎自用。其实，经常动怒对人的心脏有明显的负面影响，有时，这种影响甚至比吸烟、超重以及高胆固醇对心脏产生的损伤更可怕。

美国的研究人员对七百多名年龄在 40 岁的男士进行了 5 年的跟踪调查，对他们的血压、血脂、体重、腰围与臀围的比例、膳食结构、饮酒和吸烟的情况、受教育程度、生气的频率等都进行了详细的记录，对于生气次数的多少是否直接导致心脏疾病的发生进行了专门测试。结果，其中 5.8%的人平时很容易生气，这 5 年中，他们都因为生气至少得过一次心脏病。你们看，胆固醇高是逐渐形成的，不是吃一次两次肉就胆固醇高了，可生气就是一次的事。比如一个人，没有高血压，没有心脏病，没有糖尿病，天天爱运动，本来很好，可他心态不好，动不动就生气、发脾气，那还不如有这个病、那个病呢。因为你有病，可以吃药，及时治疗，照样活九十多岁。你什么病都没有，爱生气，也许一口气没上来，就"回去"啦。

研究结果证明，与传统上说的导致心脏受损的风险因素相比，生气和心脏健康之间的关系太密切了。所以为了自己的健康，长了身价的男人，千万别长脾气！

# 男人一样有更年期

当男性雄性激素下降到一定程度时，便会出现暴躁、抑郁、疲倦、性欲减退等症状，这便意味着进入了男性更年期。

通常，我们更多地关注女性更年期保健，其实，男人到一定的年龄，随着身体分泌的雄性激素的减少，也要进入更年期。但男人的这种生理变化过程大多模糊不清。

科学研究证明，男性大约从 30 岁开始，身体的生殖系统机能便开始退化，从睾丸中产生的雄性激素会慢慢减少。当男性雄性激素下降到一定程度时，便会出现暴躁、抑郁、疲倦、性欲减退等症状，这便意味着进入了男性更年期。

男性进入更年期后，身体健康状况会大不如以前，记忆力变差，工作效率变低，饮食营养不平衡导致肥胖，过多的脂肪又堵塞了血管，使性功能出现障碍，高血压往往又推波助澜。进入更年期的男性其实也是负担最重的男性，在单位工作压力大，常常为事业疲于奔命；在家里一家老小需要照料；孩子面临着求学、老婆期待再就业、自己也可能随时下岗等等。同样，这时的男人也会疑神疑鬼，怀疑妻子对自己不忠，怀疑周围的人在算计自己，出现不健康的心理状况。据媒体报道，在竞争激烈的日本、台湾等地，50 岁左右的男性自杀率呈明显上升趋势。

# 警惕男人 40 岁综合征

据美国心脏学会统计，在美国 2 亿多人口中，每年至少有 25 万人死于心脏病猝死，其中约有 1/4 的人是因疏于对心脏健康隐患的重视。

有关调查表明，男子进入 40 岁以后，常常会感到胸闷气短、心理压力大、头昏脑涨、记忆力衰退、肌肉酸痛、乏力，专家称这一现象为男性 40 岁综合征。临床医学也证明，男性进入 40 岁后，心脏周围血管逐渐硬化，导致管腔变窄，引起局部血氧供应减少，从而直接影响人的心、脑、肾、眼等器官。

据美国心脏学会统计，在美国 2 亿多人口中，每年至少有 25 万人死于心脏病猝死，其中约有 1/4 的人是因疏于对心脏健康隐患的重视。所以，中年男人在因长期超负荷运行而感到头晕、胸痛、气短、心悸时，切勿认为自己正壮年而不当回事，因为这些症状往往是心脏不健康的早期信号。人体得以正常运转是因为心脏无休止的运动，心脏泵血能力越强，为肌体提供的血氧含量就越高，人脑及其他器官的运行就越良好。对 40 岁以上的男性来说，只有强心、改善血管内血氧运送通道，才能解决血氧不足的问题，从而直接改善人体的健康状况。

# 女人和书——男人健康的出路

上个世纪20年代，孙中山先生在日本，有位日本朋友问他，你是一个伟人，我想问一问，你平常最喜欢的是什么？孙中山说：我最喜欢两样，第一是书，第二是女人。

"男人四十，十面埋伏"，压力这么大，负担这么重，怎么办呢？惟一出路是女人和书。

这话是孙中山先生说的。上个世纪20年代，孙中山先生在日本，有位日本朋友问他，你是一个伟人，我想问一问，你平常最喜欢的是什么？孙中山说：我最喜欢两样，第一是书，第二是女人。

为什么这样讲呢？书是什么呢？书是知识的源泉，精神的食粮，书是人生的指南，进步的阶梯。如果一个人能好好读书，书能成为人生永恒的朋友。具体来讲，书能使人明白世界，有正确的思路，有了思路，就有出路，有了出路，就有前途，一本书能改变一个人的命运。

书里讲这样一个实验：有两条狗，把其中一条狗捆起来，什么都不做时，它也挺好。当它看见一块牛肉，想去吃，可它的身子被捆住了，往前走不了，只能眼巴巴地看着肉却吃不上。于是，狗又急又气，暴跳如雷，心跳快，血压高。其实，生气对它的伤害还是有限的，最怕的是嫉妒。这时候，牵来另一只狗，没人捆住它，它轻轻松松、有滋有味地把肉吃了。没吃上肉的那条狗更生气了："我这么费劲都吃不上，你倒好，这么轻松就得到了。"这样一来，生气加嫉妒使狗血压更高，心跳更快，浑身哆嗦，而且出现频发室性早搏，几乎危及生命。

# 一本好书，一生幸福

属于你的你一定要慢半拍，无论在什么时候，它都会属于你。不属于你的，你怎么急，都急不来，就算争来了，也还得失去。

书里告诉我们，人生本来就有酸甜苦辣，没有人一切都顺利，但只要有好心态，不要嫉妒，不要有报复心，苦难都能变成快乐。俄罗斯著名剧作家契诃夫说得好："要是火柴在你的衣袋里烧起来，那你应当高兴，而且感谢上苍：多亏你的衣袋不是火药库。要是你的手指被扎了一根刺，那你应当高兴，多亏这根刺不是扎到眼睛里。要是半夜有穷亲戚来找你，那你应当高兴，幸亏来的不是警察。要是你有一颗牙痛，那你应该高兴，幸亏不是满口牙痛。朋友，照我的劝告去想吧，你的生活就会欢乐无穷了！"因此属于你的你一定要慢半拍，无论在什么时候，它都会属于你。不属于你的，你怎么急，都急不来，就算争来了，也还得失去。看到别人好，要见贤思齐，常怀感恩心、慈爱心，有这样的心态，成功一定会属于你的。

一本好的书，好似一把好的钥匙，改变你的命运，让你走向光明。所以，书是良师益友。

"男人四十，十面埋伏"，压力这么大，负担这么重，怎么办呢？惟一出路是女人和书。

# 公主的忠告

汉字结构很巧妙，"女"加"子"等于"好"，即一男一女在一起，事情就美好，常言说：男女搭配，干活不累。

还有一个是女人。汉字结构很巧妙，"女"加"子"等于"好"，即一男一女在一起，事情就美好，常言说：男女搭配，干活不累。家是身体健康的滋润地。家是心灵健康、心理健康、生理健康非常重要的保障。遇到烦心事、生气事，要宣泄，但不要发泄，因为发泄伤人伤己，而宣泄可以加深了解，还能感悟人生。在家里有人听你的牢骚，有人安慰你，有人鼓励你，可以帮助你化解情绪。

有了家庭，人得病的几率就少了，有一个和谐的家庭，病就更少了。家庭有益健康，有助幸福和长寿是肯定的。泰国有一个公主，是研究妇女问题的专家，她有句话讲得很精辟：男人要想得到幸福，不用什么，只要有一个爱他的妻子就够了。爱得过多不会幸福，过少也一样。

一个人要想幸福，就要有一个家，一个温暖的家，这样一来，心理、生理、心灵上，两个人心心相印，相濡以沫。一个温馨和美的家庭，一个好的女人是上天给予男人最好的礼物。回到家就好像回到了绿洲，而不是回到了沙漠。回到家看到妻子是盈盈的笑容，而不是生硬的面孔。家就是男人的天然美容霜、保健品和祛病药物。

# 男人如何吃出健康来

*当人们美美地品尝那些生猛海鲜时，殊不知已经病从口入。*

奔波于社会、家庭和事业之间的中年男人最容易"透支"的就是健康。许多中年人都经历过情绪低落、容易疲劳、不愿运动、失眠、头痛、注意力不集中的"亚健康状态"。长此以往，各种各样的疾病就会悄然袭来。中年男人如何吃好喝好，远离"亚健康状态"呢？

商务餐远离生猛海鲜。烤涮生猛海鲜成为一种饮食时尚，三文鱼刺身、鲈鱼、马鱼、海鲜、蛇、蟹等成为招待客户、朋友的佳肴。但是，由于这些食物中存在寄生虫和细菌的概率较高，加之过于追求味道的鲜美，烹调不够充分。当人们美美地品尝那些生猛海鲜时，殊不知已经病从口入。

长期在办公室做文字工作或经常操作电脑的人容易视力下降，维生素 A 可预防此症。每星期吃 3 根胡萝卜，就可保持体内维生素 A 的正常含量。整天呆在办公室日晒的机会少，易缺乏维生素 D 而易患骨质疏松症，需多吃海鱼、鸡肝等含维生素 D 的食物。

饮酒有利有弊。每天饮用 20~30 毫升红葡萄酒，可以将心脏病的发病率降低 75%，而饮啤酒过量将加速心肌衰老，使血液内含铅量增加。

食物也可稳定情绪。钙具有安定情绪的作用，能防止攻击性和破坏性行为发生。脾气暴躁者应该借助牛奶、酸奶、奶酪等乳制品以及鱼干、骨头汤等含钙食物以平和心态。当人遇到巨大的心理压力时，所消耗的维生素 C 就会明显增加。因此，精神紧张的人可每天吃 3~5 枚鲜枣以备足够的维生素，应付紧张的工作环境。

疲劳的时候不宜将鸡、鱼、肉、蛋等大吃一通。因为疲劳时人体内酸性物质积聚，而肉类食物属于酸性，会加重疲劳感；相反，新鲜蔬菜、水产制品等碱性食物能使身体迅速恢复，如有条件，洗个热水澡，能使人精神焕发，解除疲劳。

如果有吸烟的习惯，每天应多吃胡萝卜、柿子椒、青葱、菠菜和橙黄色的水果等，或者早饭补充点维生素 A、维生素 C 和无机盐，这样有利于减少患心血管病、肺癌和呼吸器官疾病的危险，当然戒烟是最利于健康的了。

中年人应该多吃的食物：

牛奶：可降低血清中胆固醇的浓度，含有大量的钙质，能减少胆固醇的吸收。

大豆：可以降低血液中胆固醇的含量。

生姜：具有明显的降血脂和降胆固醇的作用。

大蒜：可消除积存在血管中的脂肪，具有明显的降脂作用。

洋葱：在降低血脂、防止动脉粥样硬化和预防心肌梗死方面有良好的作用。

木耳：能降低血液中的胆固醇，可减肥和抗癌。

燕麦：具有降低血液中胆固醇和甘油三酯的作用，常食可防动脉粥样硬化。

红薯：可供给人体大量的胶原和黏多糖类物质，可保持动脉血管的弹性。

山楂：具有加强和调节心肌、增大心脏收缩幅度及冠状动脉血流量的作用，还能降低血清中的胆固醇。

茶叶：有提神、强心、利尿、消腻和降脂之功。

海鱼：有降血脂的功效。临床研究表明，多食鱼者其血浆脂质降低。有预防动脉硬化及冠心病的作用。

蜜橘：可以提高肝脏的解毒能力，加速胆固醇的转化，降低血清胆固醇的含量。

# 运动对男人至关重要

*每周至少锻炼5次的男性在重体力劳作时的暴死率是较低的。*

大多数男性往往借口工作繁忙而放弃了运动。

长时间的伏案工作，不是埋在文件堆里就是在电脑前一坐近十个小时，忙得甚至连抬头的时间都没有，这样易导致骨质疏松和其他疾病。紧张的脑力劳动可使神经体液调节失常，血胆固醇偏高。

美国波士顿的一些研究人员建议，男人应该每日跑步锻炼，或者有规律地参加球类运动，这不仅有益于强筋健骨，消耗过剩的热量，还有助于避免突发心力衰竭。

每周至少锻炼5次的男性在重体力劳作时的暴死率是较低的。锻炼对心脏病人的益处远远超过暴死风险。为了从运动中受益并使暴死的风险最小化，应该提倡有规律地锻炼，而不是偶尔地活动。

# 男人请注意保护大脑

**男性脑细胞的死亡速度比女性快2倍。**

美国科学家的一项研究表明，男性更应该注意保护大脑，科学用脑。因为男性脑萎缩比女性快，男性脑细胞的死亡速度比女性快2倍。通常死亡的脑细胞大多是与推理、逻辑等认知能力有关的，目前患老年痴呆症的男性比女性多。

很多男人往往不注意科学用脑，经常开夜车，这样长时间的用脑过度，会导致脑细胞受损，记忆力衰退，使人的肌体节律紊乱。

多吃海鱼可补脑，鱼类含有丰富的不饱和脂肪酸，有很好的健脑作用。此外，多吃葱、蒜，不仅能降低血压，也对大脑保健有好处。

# 男人别硬撑着

**生活中能给男人最有力支持的，往往是自己的妻子。**

今天的男人活得太累，在家里是"顶梁柱"，在单位还要混出个样儿，社会竞争又这么激烈，真的很不容易。怎么才能活得轻松一点呢？

要保持自己心态的平衡。男人总想表现得像个"强者"，就怕人家说自己窝囊，但是强撑会加大自己的压力，对健康很不好。承认自己平凡，并不丢什么面子，损害不了男人的尊严。和面子相比，健康才是最珍贵的。

男人要学会"话聊",遇到困难时向妻子、朋友倾诉,不要闷在心里,更不要纵情声色来寻求解脱,依赖烟酒麻醉自己,那样,只会增加患癌症、心脏病和其他疾病的机会。

要对自己好一些,注意自我保健,身体不适及时去医院检查,千万不能用自我安慰的方式麻醉自己。

生活中能给男人最有力支持的,往往是自己的妻子。

家庭关系要和谐,多和妻子牵手,神清气爽往前走。

## 改变坏习惯,扮演好角色

*前苏联总理柯西金,家里来客人都是他亲自下厨房做菜。*

男性年过40岁以后,健康面临的危险要超过女性。不妨从一天的生活开始,试着改变一些习惯。不开车,不坐车,步行去单位;抽出一两个小时去医院做一次体检;午餐时把肉换成蔬菜;工作时少抽一根烟,做做健身操;取消晚上的酒宴,回家和妻子共进晚餐;多进厨房帮妻子洗洗菜,做做饭,练会几个拿手菜和妻儿共享;少看一集连续剧,和妻子下楼散散步;不去想烦心事,让自己开怀大笑。

前苏联总理柯西金,家里来客人都是他亲自下厨房做菜。男人下厨并不寒碜,有些人放不下架子,不行。男人要学会角色转换,在外是局长,回家是丈夫、爸爸、儿子。为了家庭健康,男人应该扮演好自己的角色。

# 第三部分

## 女人四十　谁来护花

人类文化制造了"男人是强者，女人是弱者"的神话，男人戴上了"强者"的光环，被迫自我加压，自我折磨，健康受到极大伤害；女人在"弱者"的桎梏下，犹豫困惑，找不到感觉，不能尽情享受健康人生。男女生而平等，都应当在观念上获得解脱与更新。

个人健康、家庭健康、社会健康是健康的 3 个层次，家庭健康起着承上启下的作用。家庭健康的核心是女性健康。教育好一个男人，只是教育好了一个人；教育好了一个女人，就是教育好了一个家庭，家合万事兴！

好心情是好心加好情。好心是爱心、善心、真心；好情是友情、亲情、爱情。

爱心使人健康，善心使人美丽，真心使人快乐。

友情使人宽容，亲情使人温馨，爱情使人幸福。

## 牵手好

早上出门牵牵手，身心愉快向前走。

晚上回家牵牵手，一天劳累无忧愁。

灯下夫妻牵牵手，心心相印共白头。

女人四十，如花如梦；

谁能护花，男人和家。

洪昭光健康箴言

# 女人一生的十字路口

以急性心肌梗死为例，流行病学研究表明：50 岁以前，男女比例为 4~5:1，50~59 岁则约为 3:1，60~69 岁约为 2:1，而 70 岁以上，几乎是 1:1。

从基因学观点看，男人女人差别很小，有 99.9%的基因是相同的；从医学观点看，百岁人生最关键的"疾病快速增长期"男性是 30~50 岁，转折点是 40 岁；女性是 40~60 岁，转折点是 50 岁，因为更年期对女性健康有重大影响；而男女最大的差别不在生物学而是在社会学，即文化因素。

女人四十，正如人生的十字路口。40 岁以前，女性各种生活方式病相对较少；40 岁以后，发病明显上升；尤其到了 50 岁更年期，由于卵巢萎缩，雌激素、孕激素和睾丸素大幅减少，带来一系列植物神经、内分泌和心理紊乱，包括高血压、骨质疏松、动脉粥样硬化增多。以急性心肌梗死为例，流行病学研究表明：50 岁以前，男女比例为 4~5:1，50~59 岁则约为 3:1，60~69 岁约为 2:1，而 70 岁以上，几乎是 1:1。说明更年期后，女性患病率上升明显加快。因此，这时的自我保健就显得格外重要，格外紧迫，因为这关系到女人 40 岁以后，是仍然靓丽如花还是迎来一场噩梦？是健康快乐百岁，还是提前病理死亡？也就是：女人 40，是花？是梦？

# 家庭健康取决于女主人

*"教育好一个男人只是教育好了一个人，教育好一个女人就是教育好了一个家庭。"*

家庭健康取决于生活方式，而生活方式又取决于女主人。因为妇女是家庭的核心，是一家人健康的关键因素。

宋庆龄同志在一次会议上曾引用一句阿拉伯谚语："教育好一个男人只是教育好了一个人，教育好一个女人就是教育好了一个家庭。"古语说："妻贤夫安宁，家和万事兴。"也是同样意思。

比如说，合理膳食是健康之本，怎样做到合理膳食呢？妻子是关键。营养固然要注意，但并不需要刻意追求多少克、多少千卡，每天仔细计算。在一个家庭里，操纵餐桌大权的往往是主妇，因此膳食的合理与否也就取决于女主人。男士常因大腹便便而提前得病，那么，谁又能管住男士的肚子，让他们少食甜、咸、油腻、煎炸、烧烤、腌熏的食物呢？当然是天天共进晚餐的女主人。

健康家庭应当是无烟家庭，因为吸烟者的家，空气是污浊的，二手烟即被动吸烟，危害尤其大。研究表明：吸烟者家中儿童呼吸感染及哮喘发病率均较高。他们上学时，数学计算能力、记忆力、思维能力均不如其他儿童。更重要的是，吸烟者的妻子肺癌患病率高1倍，患乳腺癌的人也增多。

那么，怎样的理念才能建立起健康的家庭呢？

我们现在很多人是亚健康，很多家庭也是亚健康，包括社会也是亚健康，那么家庭亚健康表现在什么地方呢？一个家庭虽然没有离婚，也没有解体，但他们过得并不幸福，是在凑合着过日子。什么叫凑合？就是夫妻之间很少交流，既没有爱情，也没有感情，有爱情也不甜蜜，大家只能凑合着过，这必然会使家庭不幸福，个人也不幸福。那么怎样让家庭既健康又幸福呢？要想建立一个健康幸福的家庭要把握好三条。第一条把好三关；第二条培养三情；第三条亲近三补，远离三不，防止三个误区。

## 把好三关：硬件、配件、软件

**没有责任心，千万别结婚。**

三关中第一是硬件，就是身高、体重、风度、仪表，男的喜欢漂亮，女的喜欢潇洒，这外观重要不重要呢？当然重要，因为能互相悦目。但第二关更重要，就是配件，学历、能力、职称、职位，有第二关才能赏心。但最重要的是第三关即软件，人格、品格、责任心、包容心，这是内在看不见的东西，内在美才是最重要的，才能托付终身。一个家庭的建立首先看他有没有责任心，如果没有责任心，千万别结婚，因为没有责任心的人，玩世不恭是极危险的。好的婚姻需要双方都有责任心，因为成家首先是奉献而不是索取。还要有包容心，如果没有宽容，任何家庭都会破裂，因为双方来自不同的背景、出身和文化，就需要会包容对方的优点和缺点。家庭的组成是一个等边三角形，在几何学上三角形是最稳固的，底边是真诚的爱情，不是爱钱或爱权，左边是责任心，右边是包容心，如果有一边歪了，家庭结构就歪了。所以相爱时，一定要理性判断双方是否"般配"，如果落差太大，尤其是软件落差太大，那将来没有好结果，就像河流一样，落差大必有湍流。品位、情趣、追求不同的人，不可能心灵相通，琴瑟共鸣。婚姻是爱情新的开始，而不是结束。

## 培育三情：激情、爱情、亲情

*激情就像鲜切花，爱情就像盆栽花，亲情就像松柏树。*

任何两个正常的男女在一起，都会有激情，这个激情很强烈，也很动人，但时间很短，激情很容易消退，要及时培育起爱情，爱情不能用月记而应用年记，三年五年，很少超过十年，爱情慢慢就会消退。当爱情消退了时，就应该培育亲情。

激情就像鲜切花，爱情就像盆栽花，亲情就像松柏树。亲情不会从天上掉下，亲情需要有阳光、空气、水的精心培育。阳光就是话聊，空气就是牵手，水就是爱窝的滋润。有了亲情之后，家庭日益稳固，感情日久弥坚。一些七八十岁的老年人，相依相伴，老太太满头白发，满脸皱纹，但老先生推着轮椅，精心照料，知冷知热，给她盖上被子。这种温情最能感人，什么叫浪漫，这就是浪漫；什么叫真情，这才是真情！

# 亲近三 "补"：话聊、牵手、爱窝

**不但要对青少年进行性教育，还要对成年人和老年人进行性教育。**

家庭也有生命，生命需要补品的滋养才能健康。家有三大补品：一是话聊，话聊不光是用嘴说话，实际上是在用"心"交流，用"情"沟通，有心，有情，才能有好心情。一聊双方误解消，二聊大家心情好。国事家事天下事，柴米油盐酱醋茶，生活趣闻，花前月下，都能促进了解、磨合、包容和共鸣。二是牵手，人不但有生理、心灵饥渴，还有皮肤饥渴，皮肤渴望接触，和相爱的人皮肤接触后，通过生物电传导，肌肤相亲，心灵感应，体内放出健康保护激素内啡呔，使人容光焕发，心情宁静愉快，全身免疫力提高，手牵手的保健作用远远胜过昂贵的化妆品和美容霜。家庭这个爱窝最核心的是夫妻间有一种非常和谐、有利健康的性爱，性爱应是夫妻间第一等的补品。但从现在的流行学调查结果看，不理想、不如意的居多，为什么呢？因为没有很好的教育和学习。有人问，这还要学习吗？性是一种科学，既然物理、化学要学习，性也是科学为什么就不要学习呢？性爱是一种艺术，既然美术、音乐要学习，性爱当然也要学习。所以我国著名医学大家吴阶平院士说：不但要对青少年进行性教育，还要对成年人和老年人进行性教育。性教育不光包括生理的，还有心理的和更重要的伦理的教育。事实上确实是这样，有位老年人在看了一次性知识展览后感慨万分，不无幽默地说了一句耐人寻味的话：看来，我这一辈子算是白活了！

# 远离三"不"：不爱回家、<br>不爱说话、不爱说好话

*一位百岁老人在谈及和睦之家和健康之道时只用了一句话：我逢人就夸儿媳妇好，结果全家越来越好，真是精辟之极。*

男人只要不爱回家，问题就多了，人家是归心如箭，你却不爱回家，这个家的前院后院迟早要着火。回家后不爱说话，话很少，有心事也闷在心里不说，问他也不说，就是烦、烦、烦，没有交流就会误会多，误会导致矛盾，鸡毛蒜皮也会星火燎原。

第三是不爱说好话，其实说好话，真诚地赞美对方是一种宽阔的胸怀，和优良的品德。家庭特别需要夫妻间相互真诚的赞美。因为夫妻间不是主人和仆人，而是情人与爱人，不是一人支配，而是互相支持，这样，相互赞美就是家庭的滑润剂，进步的助推器和持续发展的动力。心理学研究表明：真诚的赞美能产生出乎想象的神奇效果。一位百岁老人在谈及和睦之家和健康之道时只用了一句话：我逢人就夸儿媳妇好，结果全家越来越好，真是精辟之极。看来，赞美的"马太效应"确实令人刮目。

## 女人如花花如梦，男人护花花常红

*"更年期"不是人生的障碍，可以成了"更年轻"。*

女人如花，花有生命和代谢，花需要浇水和呵护。如果自身素质好，心态平和，慈爱宽容加上爱人的细心关爱，精心呵护，那么女人的生命之花能盛开百年而不衰，历经第一春、第二春而不败，"更年期"不是人生的障碍，而成了"更年轻"。相反，如果内外因素都不好，女人花很容易只是昙花一现，转瞬间，黄花少女变成了黄脸婆，不到更年期，年龄还在第一春，红颜少女却已是外貌"人老珠黄"，内心更是"白头宫女"。女人 40，是花？是梦？就是双方的理念、心态和生活方式了。健康和幸福，钥匙就在自己的手里。关爱家庭、家人和自己，用爱使家园永远芬芳，莫让鲜花变成干花，干花变成塑料花，不然，容易红杏出墙，因为风景外边独好。

## 水星女人最可亲，金星男人最可信

**千万别找来自火星的女人或来自土星的男人。**

一位著名哲学家曾说过：根据天人相应的原理，欧洲人来自金星，美国人来自火星，中国人来自水星。依照这个理论，我们可以说来自水星的女人是最美、最可亲的，而来自金星的男人是最忠诚可信的。千万别找来自火星的女人或来自土星的男人。

为什么呢？因为水的品格是世上最美的，老子说：上善若水。水清澈澄明又公平公正；水不争名利又无私无畏；水品质高洁又甘居人下；水利万物而不争，作贡献而不取；水性至柔而无坚不摧，水性优雅又容纳百川，真不愧是"善中之上"了。世上只有母爱有最接近于水的伟大情怀。《红楼梦》里贾宝玉说：女人是水做的骨肉，男人是土做的骨肉。一个清爽，一个污浊。家庭中有一位水一样的女人是人生绝顶的幸福。

和女人不同，男人要有金子的品格，才是可依托可信赖的。因为幸福家庭的"金三角"是：底边是真情，左边是责任，右边是包容。这样的家庭是最稳定最可靠的。金子最纯净真诚，纯度达 99.99%，含杂质最少，"金子般的心"；金子的化学性质最稳定，历经千年，永不氧化，永不生锈变质，表示永远的责任心；金子的物理性能最有延展性，在所有金属中首屈一指，同样的重量，制成箔片，金箔的面积最大，表示金子最能包容兼容，有博大的胸怀。金子的真情、责任与包容正是男人的最可贵品质，有金星般的男人，女人可以放心托付一生，他会为你撑起一片天空，而且永远不离不弃，永远始终如一。金星与水星的搭配是天下女人永远靓丽的花的爱窝。

## 外国老太太"不老"之谜

很多 80 岁的老太太出门就开车，开完车就进游泳池，不但游泳，还能跳水。就连我们的"邻居"日本，女性几乎没有更年期症状。

在中国，许多女性 50 岁以前的身体状况挺好，50 岁以后健康质量却大大下降，身体开始发胖，血压也高了，也骨质疏松了，很快就变成老太太婆了。为什么？更年期综合征。更年期的妇女血压忽高忽低，一会儿脸白，一会儿脸红，一会儿心慌，一会儿出汗，脾气急躁，情绪低落。

外国女人呢？一般都没什么事，50 岁、60 岁、70 岁、80 岁，看起来线条都一样。很多 80 岁的老太太出门就开车，开完车就进游泳池，不但游泳，还能跳水。就连我们的"邻居"日本，女性几乎没有更年期症状。

为什么不同呢？因为我们缺乏这方面的健康知识，没有及时补充生理性雌激素，而在国外用得很多。其实，只要我们从年轻时就多吃豆类食品，补充蛋白质，同样能达到补充天然植物雌性激素、抑制更年期综合征的目的。因为豆类就有这种天然雌性激素的作用。

组成人体各组织器官最基本的单位是细胞，而细胞的最主要成分是蛋白质。蛋白质与生命的产生、存亡息息相关，蛋白质是生命的物质基础，没有蛋白质就没有生命。女人要永葆青春活力，就必须补充人体所需要的大量蛋白质。

什么蛋白质好呢？蛋白质主要由动物蛋白和植物蛋白组成。动物蛋白中以鱼类蛋白最好，植物蛋白中以黄豆蛋白最好。黄豆的蛋白含量高达 36.6%，而且质量好，有人称它为"蛋白质仓库"。所以建议女性多吃鱼类和豆制品。

蛋白质既然对生命非常重要，是不是吃得越多越好呢？也不是。蛋白过多，大量氨基酸从尿里排出会影响肾脏，而且消化不良，还会造成肠道毒素太多。

所以蛋白不能太多也不能太少，三份至四份就好。

## 别做餐桌上的"清洁员"

在中国的大多数家庭中，丈夫是天，孩子是宝，那么妻子、母亲便成了餐桌上的"清洁员"。

在中国，很多女人结了婚、生了孩子，体形都会发胖；到了四五十岁之后，又出现这样那样的病。这除了生理上的原因外，很大程度上与她们的饮食习惯有关。在中国的大多数家庭中，丈夫是天，孩子是宝，那么妻子、母亲便成了餐桌上的"清洁员"。

大多数当妻子、做母亲的都是将好吃的、有营养的留给丈夫和孩子，自己只是将丈夫、孩子吃剩下的填进肚子。丈夫喜欢吃什么，孩子喜欢吃什么，如数家珍；自己喜欢吃什么，不知道，没想过。几千年来，中国大多数女人都是这么做的。

可你们却没有想到，这么长久下去，会对身体造成多大的危害，特别是对心脏的危害。你们不断地将餐桌上吃不完的菜汁剩饭倒进自己的胃里，"宁愿撑着人，也别占着盆"，久而久之，你的胆固醇、血脂就会越来越高，血管残余物会越积越厚，血管会越变越窄，有一天堵住了，心脏得不到足够的血液，心脏病也就发作了。

女人得了心脏病，要比男人严重。这是因为女人得心脏病时年龄都比较大，平均比男人要晚10年。55岁以后更是心脏病的高发期，有人就称55岁是女人的"心危期"。55岁，身体的各项功能衰弱，血管比较脆弱且容易受损、恶化，修复功能也都比较差，不易康复。雪上加霜的是，女人心脏病突发性和再发性的概率比男人高。本来，55岁正是辛苦了一辈子该尽享天伦之乐的年龄，但是可怕的"心脏病"却在威胁着你的生命。到那时，再后悔年轻时没有珍惜自己的身体，恐怕就太晚了。

所以我想说，各位做丈夫的、做子女的，多呵护自己妻子和母亲吧。各位女同志，也请更加善待自己的心脏、自己的身体，首先从不做餐桌上的"清洁员"开始吧。

# 最省钱、最有效的女士运动

目前仅北美洲每天就有 8000 万人参加步行运动。在欧洲，步行运动、徒步旅行早已成为现代人的生活时尚。

许多肥胖的女士可能会奇怪，白天上班，晚上洗衣服、做饭，一切家务都得干，没少活动呀，有时还觉得挺累，怎么就没有瘦下来呢？其实，这是因为没有科学运动或运动量不够，单纯的家务劳动根本代替不了运动。

什么是科学的运动呢？步行是世界上最好的运动，也是最省钱的运动，它的健康效果绝对不是高尔夫球、保龄球、游泳所能代替的。目前仅北美洲每天就有 8000 万人参加步行运动。在欧洲，步行运动、徒步旅行早已成为现代人的生活时尚。

但是，快步走对于女性有更大的恩惠——更有利于女性的身心健康。因为一般女性都较少参加剧烈的运动，而只要每天能快走 30 分钟，每周运动 5 次以上，中风的概率就可以降低 30%。如果每天快走 45 分钟到 1 个小时，患中风的概率可降低 40%。

# 养心八珍汤

| | | | |
|---|---|---|---|
| 慈爱心 | 一片 | 孝顺 | 常想 |
| 好肚肠 | 二寸 | 老实 | 适量 |
| 正气 | 三分 | 奉献 | 不拘 |
| 宽容 | 四钱 | 回报 | 不求 |

宁静比药好：

天天三笑容颜俏，
七八分饱人不老。
相逢借问留春术，
淡泊宁静比药好。

病人的本能就是病人的医生，而医生之是帮助本能的。
　　　　　　　　——医学之父波克拉底

洪昭光健康箴言

# 减肥不能影响健康

我们提倡健康地减肥，就是要合理膳食，少吃多餐。一般的原则是：早上吃饱，中午吃好，晚上吃少。

为了减肥，女人们费尽了心思，受尽了折磨，什么吃药减肥、吸脂减肥、溶脂减肥、SPA 瘦身、塑形减肥，经历了一轮又一轮的"高科技"仪器和方法的轮番"轰炸"，可到头来，体重没减下多少，皮肤却衰老了不少，肌肤干燥发黄，眼圈发青，身体也变得虚弱了。吃药虽然管点儿用，但"是药三分毒"。不能老吃，一停就反弹。结果越减越肥，陷入了减肥的怪圈。

减肥不能影响健康，要不人是瘦了，身体也垮了，有什么用呢？我们提倡健康地减肥，就是要合理膳食，少吃多餐。一般的原则是：早上吃饱，中午吃好，晚上吃少。早餐不能不吃，经常不吃早餐，血糖就会降低。得了低血糖就影响人的注意力、思维能力，影响健康，影响工作。晚餐不可多吃，晚上多吃，运动少，体内大量热量排不出去，就会堆积脂肪，身体发胖。少吃多餐可以控制饮食，达到减肥的目的，同时，还可以预防糖尿病，降血脂。

# 做母亲使女性更聪明

2002 年 11 月美国发表的研究成果表明，做母亲会使女性更聪明，并且有利于防止她们在老年时患痴呆症。

从古至今，婚姻都是人生的大事，一对男女结婚组成社会的最小单位——家庭，从此他们有了新的社会角色。在世界各国的民俗中，婚姻都是极为隆重、庄严的典礼。

从医学上说，少女、女人和母亲不一样，少男、男人和父亲也不一样。

女人在怀孕过程中，因为激素的分泌的水平不同，所以和没有怀孕时完全不同，她的智慧、能力会有很大提高，不做母亲，就没有这种体验和感受。

2002 年 11 月美国发表的研究成果表明，做母亲会使女性更聪明，并且有利于防止她们在老年时患痴呆症。因为在妊娠过程中，女性的大脑中产生了保护性激素——即甘愿为幼子奉献生命——表现在大脑中是基因上的变化。无论是大自然，还是自古以来的人类社会，都对婚姻和家庭持一种严肃敬畏的态度，这是社会发展的需要。

现在，许多年轻人追求"丁克"家庭（即夫妻双方均有收入而没有子女），似乎很时髦。但我认为，从大的方面说，违背社会进化规律；从小的方面说，是一种落后、陈旧、自私、不科学的行为。这并不是时尚。

# 职业女性的"心病"越来越重

"春有百花秋有月，夏有凉风冬有雪。若无闲事在心头，人生都是好季节。"

随着社会日新月异的发展和竞争的日益激烈，职业女性的压力也越来越大，"心病"会越来越多、越来越重。

有些女孩子本来工作不错，收入不错，然而她们却感到迷茫，不知道自己究竟想要什么。随着阅历的增长，对于工作逐渐失去了兴趣，常常觉得心中莫名其妙的疲劳；有的面对工作机会瞻前顾后，犹豫不决，"大事做不来，小事又不做"；也有的女性过分地追求变化，不断地变换工作环境，不知道什么工作适合自己，结果使自己对工作越来越麻木。

有些中年女性面临下岗、再就业，找工作成了麻烦事。很多单位明文不招女性，即使招也要加上一条年龄限制：超过 35 岁的不要。这就更增加了她们的心理恐惧，她们担心随着年龄的增长，时刻面临着被解雇的风险；她们年龄偏大，知识结构相对陈旧；她们觉得精力不充沛，竞争不过年轻人，其实这是她们自信心不足所产生的忧虑。她们没有看到，多年积累的工作经验和丰富的阅历就是一个重要的竞争砝码，至于其他的问题，完全可以通过自己的学习努力去改变。

还有一些女性时常有一种尴尬：生活在繁华的都市里，看着周围的人住洋房、开轿车、穿时装，过令人羡慕的生活，耳闻目染，自己也渴望过上这样的富裕生活。但因为是工薪族，囊中羞涩，无力应对，由不满足于现状导致心理渐渐不平衡起来。

另外还有一类职业化女性，在外是单位的领导、骨干，在内是家里的贤妻良母，她们为事业、家庭和子女的成长而奔波，还要在上下级、同事、姻亲、家庭等纵横交错的人际关系中求得完美。她们承受着各种压力，纷繁复杂的各种事情使她们紧绷着一根弦，她们也在担心，万一哪天弦断了，后果不堪设想。

一个人整天心事重重，心理不平衡，怎么能不得病？任何情境下，如果能有一颗平常心，保持一份良好的心态，才有健康的基础。我希望职业女性和所有的女性记住这段古诗："春有百花秋有月，夏有凉风冬有雪。若无闲事在心头，人生都是好季节。"

## 干家务干出了"职业病"

不要"大权独揽"，"放权"让丈夫、孩子也动起来，"有事大家做，有饭大家吃"，不是更好？

我们说办公室的白领会患上职业病，事实上，很多女同志都有这样的感受，平时自己既要在单位应付各种工作，回家后还要做各种家务活，闲下来的时候不是背痛就是肩痛，这其实是干家务活干出了"职业病"。

比方说，你在家切菜、做饭、洗衣服、拖地，样样都要低着头干，可你知道长时间用一个姿势，肌肉长期紧绷，很容易造成颈部和肩部的疼痛。有些女同志经常说手腕疼、关节疼，这也是平时刷洗东西或炒菜做饭时手腕过度用力的结果。还有如果家里用的煤气灶、水池的高度与你的身高不合适，干起活来也会感觉不舒服，这也容易造成腰部肌肉的慢性扭伤。

我们讲家庭健康，就是要让每个家庭的"半边天"既要有一个健康的身体，又能轻松地干家务。首先，要保持一个良好的精神状态，要心胸开阔，心理平衡，这非常重要，心态好了，才能乐观地面对烦琐的家务活。再就是要学会自己关爱自己，女同志不辞辛苦地干家务，其实可以想一些小窍门来缓解疲劳，消除身体疼痛。比如长时间清洗锅碗瓢盆时，不妨准备一张小凳子，单脚轮流踩在凳子上，这有助于分散背部和肩部所承受的压力。另外，家务活不必一股脑儿干完。有的女同志喜欢干净利索，干家务也总要一气呵成，其实干家务也像人们做运动，需要适量、有度，超出了体力允许的范围就要影响身体健康。

还有一点很重要，不要"大权独揽"，"放权"让丈夫、孩子也动起来，"有事大家做，有饭大家吃"，不是更好？

# 骨质疏松症逼近年轻女性

**最近越来越多的病例证明，骨质疏松已经开始逼近三四十岁甚至二十多岁的女性。**

传统的观点认为，骨质疏松症与更年期和衰老有关。然而，最近越来越多的病例证明，骨质疏松已经开始逼近三四十岁甚至二十多岁的女性。

不少女性为了皮肤白皙怕太阳晒，夏日出门把自己"隐藏"得严严实实；梦想拥有一副"魔鬼身材"就拼命节食，每天坐在办公室又极少运动，这都为骨质疏松的"光临"埋下了隐患。

骨质疏松的年龄段为什么提前了？

首先是偏食。许多女性把保持苗条身材作为一生的奋斗目标，所以将一切与脂肪沾边的食品统统拒之门外，长此下去，骨骼的结实度怎么能保证呢？

其次是拒绝阳光。多晒太阳能促进身体里钙质的吸收，如果一味地追求"白雪公主"，就会导致骨质疏松的提前发生。想想哪样合算呢？

还有就是缺乏运动。运动是生命和健康的源泉之一。虽然现在许多女性都开始关注运动，关注健康，加入了舍宾、瑜伽、健身房、形体梳理的队伍，但有相当一部分人是为了减肥。而且更多的是工作的快节奏带给人们的：以车代步上下班，以电梯代替楼梯上下楼，以电话、短信、上网代替上门拜访。辛苦的紧张工作换来的是晚饭后累得再也不想动一动。

## 不可忽视的女性更年期

男人和女人都存在着更年期，但女性要比男性早进入更年期，而且女性的更年期症状要比男性明显得多。

人生是一个循序渐进、不断变化发展的过程，不同年龄段有着不同的生理特点和身心特征。更年期是一个医学名词，指的是从生育期到老年期的过渡期。男人和女人都存在着更年期，但由于男人、女人的生理特点不同，女性要比男性早进入更年期，而且女性的更年期症状要比男性明显得多。

女人到了 40~55 岁，就会出现一些异常的反应：一会儿心慌胸闷，一会儿头晕眼花，一会儿脸红出汗；血压忽高忽低，心情就跟荡秋千似的——忽起忽落、激动易怒、焦躁不安。而且疑心重、失眠多梦、食欲不振、记忆力减退、思想不集中、心里想的和嘴上说的会"分家"、腹胀腹泻、便秘、浮肿。性格也变得不让家里人喜欢，孩子嫌你啰嗦，丈夫嫌你唠叨，给人的印象是你总是疑神疑鬼、神神叨叨。这些就是更年期综合征的表现。

更年期的到来，在影响女性生理的同时，对其心理的影响更大。许多进入更年期的女性整日为了自己的衰老而忧心忡忡，再加上繁重的家务、工作的压力，常会胡思乱想，忧郁烦躁，甚至悲观厌世，给自己和家人带来很多困扰。

# 更年期沉重的心理压力

**一般来说，条件优越、生活富裕和社会地位较高的女性，症状比较明显。**

更年期女性的不良心理反应也因人而异、有轻有重。一般来说，条件优越、生活富裕和社会地位较高的女性，症状比较明显。四十多岁的白领女性，事业上小有成就，性格上极其要强，做事要求尽善尽美。但是随着岁月流逝，担心青春不再，红颜逝去，更担心在人才辈出的激烈竞争中失去优势，丢了手中的"饭碗"。这种过分的焦虑和担心使得白领丽人们提前进入了更年期。

有的进入更年期后，心烦意乱，干什么都打不起精神，做不下事。坐在家里总是在想，自己已经变成"黄脸婆"了，人老珠黄，没有魅力了，面对外面的花花世界，老公会不会做对不起自己的事……于是，翻丈夫的皮包、衣袋，检查丈夫的手机，这种异常的举动，反而影响了夫妻感情。

也有的性格内向，多愁善感，常常担心丈夫会突然死去，孩子长大不孝顺，父母渐渐衰老，日后的生活孤苦伶仃、无依无靠……想来想去，患上了忧郁症。

还有的是"更年期"撞上了"青春期"。现在家庭中，当母亲过了40岁，临近或已经进入更年期时，孩子则十几岁，多是中学生，开始步入或已经进入青春期。孩子朝气蓬勃，身心发展迅速，自我意识增强，性格独立、反叛；母亲日见衰老、焦虑易怒、缺乏耐心，"更年期"与"青春期"的对立，自然使得母亲和孩子之间冲突不断，这也就加重了更年期女性的心理压力和困扰。

## 平衡心态，顺利度过更年期

面对更年期，我们要采取积极乐观的态度，不要害怕，也不要焦虑，要积极地、有准备地从知识上和精神上去迎接它，多学一些保健的生理卫生知识，积极地配合医生用药。

心理平衡是保证身体健康的一大基石，也是我们健康安全地度过更年期的秘诀。

　　为什么保持心理平衡对处于更年期的女性朋友这么重要呢？我们知道，更年期是女性的"多事之秋"。临近或进入更年期后，许多女性会由于身体的不适导致性格发生大的变化，精神压力过于沉重；精神压力大又反过来加重更年期时的各种症状，这样就会形成一种恶性循环。有一天，精神崩溃了，人也就完了。所以，保持心态的稳定最重要。

　　怎么才能使自己保持稳定的心态呢？那就要正确对待更年期，正确对待自己。我们要正确认识更年期只是人生道路上必经的一个阶段，并不是什么了不起的大病。要调整心态，正确认识自己，不要觉得自己到了更年期就老了，没有魅力了，没用了，生命已经快到尽头了。其实，好多人是到了或过了更年期后才有一番作为的。所以一个人有用没用与更年期没有必然的联系，关键是要正确地认识自己，合理地给自己定位。

　　人对待生活的态度有两种：一种是积极、乐观地看待人和事；一种则是悲观地面对世界和人生。面对更年期，我们要采取积极乐观的态度，不要害怕，也不要焦虑，要积极地、有准备地从知识上和精神上去迎接它，多学一些保健的生理卫生知识，积极地配合医生用药。

　　还要注意锻炼身体，"生命在于运动"。此外，已经退休的女同志可以在社会、街道上多做一些事情，多工作、多交往，既发挥余热，也增强自信心。

　　在50岁更年期以前，女性受卵巢雌性激素的保护，动脉硬化很少；50岁以后，动脉硬化发展就会加快；到60岁时，男女比例为3:1；而到70岁时，男女比例接近1:1。因此，女性在50岁以后应该在医生指导下用小剂量雌激素进行替代疗法，对防止动脉硬化和骨质疏松有很好的效果。

# 在家中，女人最需要疼爱

**女人的心理很敏感，家中任何细微的变化都逃不过她们的眼睛。**

女人很伟大，她们为了家庭奉献着自己的一切。她们的心理很敏感，家中任何细微的变化都逃不过她们的眼睛，她们最大的心愿是亲人真心的疼爱、关怀，疼爱和关怀会使她们更无私地奉献。

不论是疼爱还是关怀，都有一种奇特的效应——"马太效应"，即"越好越好，越坏越坏"，成倍地变化。当一个人主动地关怀对方时，都会收到加倍的奖赏。所以，家庭应该给予女性，尤其是给予更年期女性更多的关心和理解。子女应该多体谅母亲，丈夫也应多呵护妻子。多一分关心，便多一分支持，就会使感情比较脆弱、心思比较敏感的更年期女性感觉到家庭的温暖，积极调整心态，顺利、健康地度过这人生的特殊阶段。这样的家庭会更健康，更幸福。

# 第四部分

## 幸福家庭　健康根本

"世上只有家最好，男女老少离不了；

男士没家死得早，女士没家容颜老；

有家看似平淡淡，没家立刻凄惨惨；

外面世界千般好，不如回家乐逍遥。"

半生戎马匆匆, 半生悠悠从容。
半百人生如幻, 半亩桑田随缘。
半客半友谈笑间, 半醉半饱常享年。
半歌半工半悠闲, 半人半佛半神仙。
半之歌半无穷, 半之情得永年。

家庭健康有三宝: 话聊、牵手、爱窝好。

话聊好

说起话聊真奇妙: 防病治病都有效。
一聊双方误解消, 二聊大家心情好。
三聊能治血压高, 肿瘤非尿都有效。
话聊舒筋都闷气, 话聊提高抵抗力。
天天话聊三四起, 家家快乐甜如蜜。

洪昭光健康箴言

# 健康家庭　爱心维护

## 家庭是一驾精细复杂的马车

家庭是一驾精细复杂的两驾、三驾马车，不是单枪匹马，家庭健康需要智慧、高明的骑手。

人体健康由内因和外因共同决定，家庭健康也有内因和外因。家庭健康的内因外因犹如车之两轮，鸟之双翼，只有都健全，夫妻才能比翼双飞，飞向美好的明天。不然，家庭就无法健康。

健康分三个层次：个人健康、家庭健康和社会健康。其中最重要的是家庭健康，因为家庭健康承上启下、关系重大。家庭健康不仅是个人身心安宁、事业成功、生活幸福的源泉，而且还是社会健康的基石和保证。因为家庭是社会的细胞，只有家庭健康了，社会才能健康；家庭安定了，社会才能安定；家庭幸福了，社会才能幸福。现实中要做到家庭和睦，夫妻恩爱，敬老爱幼，其乐融融不是很容易的。一是因为大千世界物欲横流诱惑多，使人容易迷失方向；二是家庭是一驾精细复杂的两驾、三驾马车，不是单枪匹马，因此，一般的骑手是不能胜任的，家庭健康需要智慧、高明的骑手。

# 一步走错位，一生都错位

> "爱情是瞎子，结婚是赌博，家庭是坟墓。"

当前，一些家庭幸福度不高，而离婚率却年年增高，离婚速度越来越快，有些家庭虽未解体，但并不幸福。因为双方没有感情，即使有感情也没有爱情，即使有爱情也不甜蜜。总之，处于家庭健康的低水平状态。

什么原因呢?

有人认为是社会日益复杂、节奏快、压力大，使人心烦意乱;有人认为是思想开放、观念超前、生活自由化、品位多样化，或者干脆就是钱闹的，男人有钱就变坏。其实，这些只是表面现象，真正的深层次原因是爱的错位。

西方有句谚语:"爱情是瞎子，结婚是赌博，家庭是坟墓。"研究表明:人一旦恋爱，智商立即下降，爱得越烈，智商越低。一些显而易见的缺点，在恋人眼中不仅视而不见，反而当成优点，难怪情人眼里出西施。而婚姻呢? 是赌博，因为不知道今后结局如何。谁知道热热闹闹的婚礼和蜜月能持续多久? 上世纪最轰动全球的耗资 10 亿英镑的皇家世纪婚礼，空前豪华气派，想必是天作之合、白头偕老。未曾料，新婚不到 3 个月，先是"雨打芭蕉"，后是"红杏出墙"，不多久便"劳燕分飞"，最终"香消玉殒"，令人感叹唏嘘。金童玉女尚且如此，更何况平民百姓呢? 家庭呢，则是坟墓，一结婚成家就进入保险箱了，便各自回归到原来的基线，卸下面具，还原本来面目。真没想到，"白雪公主"原来相貌平平，"白马王子"竟是一介凡夫。

亚里士多德说："人是理性的动物。"但理性的爱情却很难做到，恋爱前要先问问自己：我懂得什么叫爱情吗？什么叫心灵素质吗？什么叫家庭责任吗？我能知人识人吗？如果不懂，则千万别着急，不然，一头扎入爱河，必是凶多吉少，苦海无边，后悔就晚了。对家庭来说，爱首先是奉献，是付出，不是获得和索取；爱是心心相印，不是等价交换；爱是天长地久，不是一朝拥有；爱是相依为命、相濡以沫的真情，不是朝三暮四、拈花惹草的花心。眼下流行的时尚是看重外在的身高、相貌、三围、车子、房子、票子而轻视内在的心灵、素质、气质、品位，那么爱就显得错位了。因为，这些看不见的内在素质才是家庭健康和人生幸福的真正基石。本末倒置，基石不稳的爱，有如沙滩盖楼，前景可想而知。好比穿鞋，不必一味追求最漂亮、最昂贵、最新款、最流行的，而应当是最适合自己特点的，穿着行走最舒适的。婚姻不是给别人看的，婚姻是不能攀比的。不要找条件最好的，而要找适合自己的。林黛玉尚且说："不求玉堂金马登高第，但愿高山流水遇知音。"更何况21世纪的现代青年呢！

有一位春风得意的经理，前后精挑细选十余年，几十位候选人都不如意，后经人介绍，认识一位刚毕业的妙龄女郎，一见钟情坠入爱河。一个收入丰厚，有车有房；一个白领丽人，旗鼓相当。在双方亲友的极力撮合下，步入了婚姻殿堂，结果五一结婚，十一离婚。原因是同床异梦，情趣修养各不相同。一个心高气傲，一个个性张扬。结果貌合神离，互不相让，三天一小吵、五天一大闹，终于各奔东西。在外人看来是理想的一对，不论外表"硬件"多么般配，没有知音知心、知冷知暖的内心"软件"，只能是无可奈何花落去。人体的内因是父母遗传的基因，无法改变；而家庭的内因是婚姻前的恋爱择偶，这是自己选择的。人体的外因是健康生活方式的四大基石；家庭的外因是结婚后双方的相濡以沫，共同细心呵护。

总体上，人体健康的 60%掌握在自己手里，而家庭健康几乎全部都是掌握在自己手里的，我们自己就是家庭健康的主人。

## 菜园、乐园、花园，何处是我家？

不论是疼爱还是关怀，都有一种神奇的"马太效应"，即越好越好，越坏越坏，成倍地变化。任何一方的主动都会收到加倍的奖赏。

我们的家究竟是菜园、乐园，还是花园呢？

家不是菜园，现代社会的人们不再只满足于开门七件事：柴、米、油、盐、酱、醋、茶。那么，家是乐园吗？也不是，天上不会掉馅饼，没有现成的乐园，童话中的王子、公主毕竟是少数。家，可以比喻成一座花园。精心呵护，则百花齐放；不去关爱，则一片凋零。家需要慈母般的爱心，园丁般的精心和织女般的细心。男人是土壤，女人是雨露。没有责任感，没有至真至纯的爱，家就不成其为家，花园就无法茂盛鲜艳。

从古至今，婚姻都是人生的大事，男女结婚组成社会的最小单位——家庭，男女有了新的社会角色。在世界各国民俗中，婚礼都是极为隆重庄严的典礼。

从医学上说，结婚后，少男变成男子，生育后又变成有责任感的父亲；少女变成女子，生育后变成慈爱的母亲。据 2002 年 11 月美国最新发表的研究成果：做母亲使女性更聪明，并可有利于防止她们在老年时患痴呆症，因为在妊娠过程中她们的大脑中产生了保护性激素。妊娠过程使雌性动物愿意为幼子奉献生命，表现在大脑中是基因上的变化。不论大自然，还是自古以来的人类社会，都对婚姻和家庭持一种严肃、敬畏的态度，这是社会发展的需要。而当今一些所谓的时尚以"一次爱个够，过把瘾就死"，"不求天长地久，只要一朝拥有"来挑战严肃认真、富有责任感的传统观念，这是十分危险的。

在家中，女人最需要疼爱，她们的心理很敏感，家中任何细微的变化都逃不过她们的眼睛，她们最大的心愿是亲人真心的疼爱，为此，她们愿意奉献出一切。男人最需要关怀，他们的生理很敏感，需要有人知冷知暖的关怀，他们最大的渴望是温柔体贴的关爱，为此，他们愿付出10倍的努力为美好家庭支撑出一片天空。

不论是疼爱还是关怀，都有一种神奇的"马太效应"，即越好越好，越坏越坏，成倍地变化。任何一方的主动都会收到加倍的奖赏。

总体上说，夫妻间要经常在感情上微调，生活上互补，但也不要形影不离，因为亲密无间不如亲密有间，零距离不如近距离，适当的距离空间，加上爱心宽容，家庭会更健康。

## 话聊、牵手、爱窝，一个不能少

人生43种生活事件中，"中年丧偶"的打击力度高居榜首，高达100分，远远超过"入狱"（73分），由此也可见家庭关系的重要性。

说起话聊，真奇妙：一聊双方误解消，二聊大家心情好，三聊能治血压高，肿瘤糖尿都见效。话聊舒解郁闷气，话聊提高抵抗力。天天话聊三四起，家家快乐甜如蜜。

家庭健康有"三宝"：话聊、牵手、爱窝。

第一宝是话聊。话聊是谈心、交流和沟通。话聊的威力很大，几乎家中一切矛盾、隔阂、误解、猜疑都可消除。可以使家庭成员亲密无间，产生巨大的幸福感。

健康家庭成员间的互相影响是非常巨大的。1984年一次全国性的调查表明：妻子劝丈夫戒烟的威力是父亲加母亲联合力量的两倍之多，仅次于因病戒烟。另外，心理学研究证明：在人生43种生活事件中，"中年丧偶"的打击力度高居榜首，高达100分，远远超过"入狱"（73分），由此也可见家庭关系的重要性。

健康幸福的家庭中，不仅双方神清气爽，精力充沛，皮肤滋润光泽，而且很少生病。因为幸福能使体内内啡肽含量升高，生长激素浓度也高，所以机体免疫力增强。最新研究表明：对幸福的期望和预期也有神奇的效果，可使肾上腺素水平下降70%，皮质醇下降39%（这两种都是压力激素），而使人感觉愉悦的内啡肽增加27%，生长激素水平上升87%（这两种能使人免疫力增强）。

很早以前，人们就知道笑的作用。有一句俄罗斯谚语说：笑是力量的亲兄弟。马克思说：1份愉快的心情胜过10剂良药。美国科学家新近提出：笑容可能是最好的药物。现在，甚至对幸福的期望也被证实同样具有神奇的有助健康的作用。

第二宝是牵手。皮肤的接触能产生明显的心理和生理效应，不仅成人的感情需要皮肤接触，儿童和婴儿也有明显的"皮肤饥渴"，轻揉和按摩对他们的身心健康有巨大益处。有些地方把夫妻形容为"牵手"，真是一语中的。许许多多家庭的细琐一经牵手都烟消云散了。

我们发现一个现象，"海归"的夫妇或者是外国夫妇散步时会手牵手，而我们国内呢？大多数夫妻散步时都相距半米到一米，有的男的在前边走，女的在后边跟着。其实，我们应该提倡牵手。你看美国总统小布什和夫人外出时总是手牵手的。因此"早起出门牵牵手，身心愉快向前走；晚上回家牵牵手，一天劳累无忧愁"。但是千万不要牵错手，牵着小蜜的手，心儿就颤抖；牵着情人的手，血压往上走，这样动脉硬化会加快，寿命会缩短。

第三宝是爱窝。甜蜜的爱窝从社会学、生理学、心理学上讲都是家庭健康的重要法宝。

科学、健康、艺术的性生活是家庭的、生理的、心理的、伦理的滋补品，能使双方身体健康，心情愉快，心灵净化，人格升华。这一点，万万不可掉以轻心，而且从青年、中年到老年，其重要性丝毫不减。

# 请注意生活细节

便秘的人患直肠癌、结肠癌、乳腺癌明显增多。这3种癌症在美国发病率比非洲高出4~6倍，这与美国人食物纤维少，运动少而造成的便秘有关。

当前，亚健康人群与日俱增，原因固然很多，但有一点常被忽略，那就是便秘。实验证明：在动物直肠、结肠内塞满纱布，动物会出现血压升高、心率加快、烦躁不安的现象。取出纱布，情况立即好转。其实，这和人的便秘非常相似。肠道天天通，一身都轻松。体内毒素不排，健康从何而来？便秘的人患直肠癌、结肠癌、乳腺癌明显增多。这 3 种癌症在美国发病率比非洲高出 4~6 倍，这与美国人食物纤维少，运动少而造成的便秘有关。便秘时排便用力或屏气，也是心血管意外事件的重要诱因。临床上，猝死于厕所时有所见，便秘患者切忌长期坐厕读书，更不能超过半小时以上，不然，会造成恶性循环，形成习惯性便秘。

解决便秘排除体内毒素的办法有多种，有的中药材很利于排毒，此外，还可用清凉油、万金油在腹腔部脐周顺时针按摩，面积由小至大，力量由轻至重，约 10~15 分钟，使手心、腹部皮肤发热发红，此时腹内肠道就会因神经反射而加强蠕动，效果非常好。这种方法也是保健按摩操"八段锦"的一部分。当年苏东坡试之曾赞不绝口，谓："初数日，不甚觉，百十日后功效不可量。"

另处，冷热水浴也有健身作用，但热水浴时温度千万别过高，有研究表明，过热的蒸气、热水在扩张体表毛细血管同时，还能使血液凝固性下降，容易诱发脑出血。

总之，家庭健康是全方位的、多层次、动态化的，不是一次性关心就够了，无法一劳永逸。它需要家庭的全体成员用整个身心去关心、呵护它。爱它，一天也不能放松。

# 家有老人是个宝

## 老人也有自己的心理需要

孝敬老人不光是给吃给喝，物质上满足，主要是心灵关注，尊重、尊敬、宽容，尽量满足老人的心理需要。

其实老人也有自己的心理需要，满足了需要才能心理平衡，才能健康。

老人最希望有一个和睦的家庭，融洽的环境，儿女孝顺，互敬互爱，和和美美，这样才会感到温暖和幸福。但在实际生活里，经常是子女忙于工作，老人退休在家无事可做，一天到晚都是老头儿对着老太太，冷冷清清。特别是有些老人虽然退了休，但依然身体硬朗，有工作能力，经验丰富，要让他们整天闷在家里没什么事做，反而会闷出病来。

每个孩子都是吃妈妈的奶长大的，孝敬老人不光是给吃给喝，物质上满足，主要是心灵关注，尊重、尊敬、宽容，尽量满足老人的心理需要，让老人感觉发自内心的关怀。比如有的老人爱唠叨，有的老人爱清静，有的老人性格豁达，有的老人性格古怪，子女都应该理解和体谅。那老人自己呢，也应该心胸开阔，多找点儿自己感兴趣的事来做，或是找老朋友聊聊天，或是参加一些社区活动，调整自己的心理状态，丰富自己的晚年生活。

# 给老年朋友的健康留言

定时起居作息，适应自然变化，注意清洁卫生，戒除不良习惯。

对老年人来说，有四点要注意，很简单，很容易做。要想"60 岁以前没有病，80 岁以前不衰老"，就从现在做起。

定时起居作息——生活应有规律，按时起床、学习和就寝，要按照自然生物钟的节律作息和活动，这样有利于健康及预防高血压并发症的发生。

适应自然变化——人类生活在自然界中，与自然界的变化息息相关，人体应适应这些变化。如衣着方面，应根据不同季节及时增减衣服；住房要阳光充足，防潮防湿，空气流通，有条件可以种些花草树木，既修身养性，又美化环境。

注意清洁卫生——良好的卫生习惯是增进身体健康的重要因素。中国有句老话，黎明即起，洒扫庭院。又说要勤于沐浴。这就是教育人们要养成良好的卫生习惯。

戒除不良习惯——高血压病人应戒烟，避免酗酒及暴饮暴食等。

# 关心科普才能"健康老龄化"

美国的冠心病死亡率年年下降，中国是年年上升。

我最大的感觉就是：美国的冠心病死亡率年年下降，中国是年年上升，我觉得惭愧，医生的责任不仅是治病救人，还要使家庭稳定，社会稳定，家庭健康，社会健康。

中国有 13 亿人口，老人 1 亿多，如果大家都来关心科普，关心预防为主这个问题，这个力量就大了。实际上，21 世纪的医学，必须走预防为主的道路，如果不从这方面着手，病人会越来越多。糖尿病上升，癌症上升，心血管病上升，这以后就成灾难了，每个人花 100 万，那国家哪儿受得了。所谓科普，就是要普及科学知识，普及科学方法，普及科学的世界观。

世界卫生组织提出"健康老龄化"的口号。老人的晚年是幸运还是灾难，就看你能不能做到"健康老龄"。如果你是幸运的，就可以享受人生，欣赏人生，品味人生。

# 暗示效应不是"练功不吃药"

**医生的语言和仪表是一剂安慰剂。**

面对快速的人口老龄化，面对日益增多的心脑血管病、糖尿病、肿瘤，面对提前衰老、提前死亡的"文明病"浪潮，很多人困惑不解而又无能为力。尽管科学已证明，"文明病"的真正根源恰恰是不文明的生活方式。

由于医疗资源有限，当前看病还存在诸多不便，排队、挂号、化验、取药，至少半天，药费又贵，因而希望少花钱、更方便地获得健康，选择非药物治疗法自然成了人们的追求。

医学上暗示和自我暗示都属于正常的生理现象，许多人容易无条件、非理性地接受。比如，让某人手拿一支铅笔，在暗示环境中告诉他拿的是一支烧红的铁棒，他的手指皮肤很快就会充血、发红，甚至起水泡。

医生的语言和仪表也是一剂安慰剂，如果仪表端庄，态度诚恳，语言亲切，病人就会产生依赖感，同样的药物就会效果倍增。有人觉得一练功病就见好，这在很大程度上是暗示、自我暗示和群体暗示的"安慰剂效应"，也有的是疾病的自然转归。

所以，病情"见好"、"不见好"与练功"心诚"、"心不诚"丝毫没有关系，把科学和迷信邪说联系起来，是极其荒谬的。还是要相信科学。

# 要长寿，就得心理健康

心理平衡的作用超过了一切保健措施和一切保健品的总和，它是健康长寿的宝中之宝。

许多研究表明，在所有健康措施中，心理平衡是最重要的。心理平衡的作用超过了一切保健措施和一切保健品的总和，它是健康长寿的宝中之宝。有了心理平衡，才能有生理平衡；有了生理平衡，人体的神经系统、内分泌系统、免疫功能、各器官代谢功能才能达到最佳的协调状态，一切疾病都能减少。为什么在西方，教堂的牧师尽管胆固醇很高，但患冠心病的很少呢？因为他们的工作是替别人排忧解难、疏导化解，所以他们的心态平和。

"谁拥有快乐，谁就拥有健康。"这句古老的格言告诉我们，心理平衡是对健康的最好投资。谁掌握了心理平衡，谁就掌握了健康的金钥匙，谁就掌握了健康的主动权。

世界三大长寿地区的调查和上海、北京市长寿老人的调查都得出同样的启示：要健身，先健心。有了心理健康，才有生理健康。各国长寿地区的人种、气候、食物、生活习俗各不相同，有的甚至相反，如有的老人嗜烟酒，有的老人喜吃肥肉；但有一点却是中外共同的，那就是长寿者都心胸宽阔，乐观开朗，心地善良、随和。没有一位老人心胸狭窄，鼠肚鸡肠。心胸狭窄的人活不到 100 岁，50 岁、60 岁早一个一个气死了，要么癌症，要么心血管病，因为这种人早就在风雨中被淘汰了。

## 饮食要讲究，不能瞎凑合

多吃粗粮，多吃鱼肉、豆制品，饭菜咸淡适中。

有句老话："民以食为天。"上了年纪的人不能在饮食上马马虎虎，否则就不能"健康七八九"，百岁就成了梦了。

随着年龄的增长，老人的基础代谢水平逐渐下降，过量饮食很容易增加心脏负担。因此老人要特别注意适量饮食，尤其要注意对富含脂肪的食物的摄入，这有利于避免高血脂等心血管疾病。

适量饮食还得注意营养的搭配。首先是多吃粗粮，以保证膳食纤维的供给。

第二是多吃鱼肉、豆制品，以保证蛋白质的及时补充。切不要误认为老年人蛋白质越少越好，素食习惯对健康不利。

第三是饭菜要咸淡适中。过咸容易引发高血压、心脏病，过甜会引发糖尿病，都不利于健康。

第四是进补要适当。现在市面上有各种各样的补品，老人适当地服用一些补品有助于补充身体所需，但补充过量就会适得其反。还有睡前切忌吃补品，否则会增加血液黏度，高血压、高血脂、脑卒中这类心血管疾病就要找上门来了。

有些老人爱喝酒，这不好。喝酒会加重心脏负担，诱发心肌梗死，不如多喝牛奶、酸奶或者豆浆，不仅可以补钙，还对老人的便秘、高血压有辅助治疗作用，这才是老人健康的法宝。

# 老人膳食三注意

*虾皮虽小，却是老年人的健康好朋友。*

年纪大了，胃肠功能会逐渐减弱，对各种油腻食物很难享用。带馅食品非常适合老人食用。

比如猪肉、鱼肉、鸡蛋、韭菜、西葫芦，配上葱、姜、盐、酱油等调味品，随意搭配做成水饺、馄饨、包子等带馅食品，既富含多种营养成分，又利于消化吸收，老人吃这种食品，很容易补充营养。

虾皮虽小，却是老年人的健康好朋友。一是肉质松软，易消化。二是营养极丰富，它含蛋白质、维生素、微量元素，尤其是丰富的钙，对老人因缺钙引起的骨质疏松症有帮助。平时做汤做菜，放上一些虾皮，既可以提高老人的食欲，又能增强体质，何乐而不为呢？

水果对健康有好处，这没错，但老年人由于生理机能减弱，如果不加选择地乱吃，就有害无益了。有的老年人觉得吃完水果后不舒服，就是因为不会选择。

老人吃水果，首先不要一次吃太多，可采用"少食多餐"的办法，否则会加重胃肠负担。二是要根据自己的身体状况选择合适的水果。比如，便秘的老人可以多吃桃子、香蕉、橘子，这些水果有缓下的作用；有心脏病的老人就不宜吃水量较多的水果，例如西瓜、椰子；有糖尿病的老人，梨、苹果、香蕉等含糖多的水果就不适合了。

# 有氧运动适合老年人

每周步行 4 小时以上的老人比每周步行少于 1 小时的老人，其心血管病住院率减少 69%，死亡率减少 73%。

我们不提倡老年人进行举重、百米赛这种无氧代谢运动，而以步行、游泳、登山等有氧运动为好。

1997 年，国外通过对 1645 名 65 岁以上老人的 4 年前瞻性研究发现，每周步行 4 小时以上的老人比每周步行少于 1 小时的老人，其心血管病住院率减少 69%，死亡率减少 73%。

因此，步行应成为老人良好的保健运动，是心血管病有效的预防措施。

特别要注意的是，老年人一定不能空腹运动。空腹运动不仅会增加心脏负担，而且极易引发心律不齐，导致猝死。50 岁以上的中老年人要警惕发生意外的可能性。

美国"檀香山心脏计划"对 2678 名 81~93 岁的老人进行了调查，结果是：每天步行 2.5 公里以上的人比少于 2.5 公里的人心肌梗死少一半。

我国也有一组资料，把老年人分成两组，一组一天平均走 4.2 公里，一组基本上不走路。结果发现，走 4.2 公里的这组老年人死亡、冠心病比不走路那组下降 60%。这就是走路的好处啊。

## 太极拳和气功——不花钱的健身方法

**不花一分钱的太极拳比现代化的器械效果好得多。**

美国老年协会对太极拳做了研究，分两组老人，一组练健身房的器械，天天练肌肉；另外一组一分钱不花，练太极拳。结果练下来一对比，练拳的这组，平衡功能好，脑子反应快，走路不摔跤，骨折减少 50%。最后美国人得出一个结论，非常佩服中国人的智慧，不花一分钱的太极拳比现代化的器械效果好得多。

还有气功。大量的科学研究已充分证实，气功（不包括属于伪科学的所谓"能发外力治病"的各种功能）可以调节大脑皮层高级神经活动，使神经稳定，血压、心律、新陈代谢、白细胞吞噬功能得到良性变化，和太极拳有异曲同工之妙。

# "两多"要多做，"三不"使不得

*一位著名京剧艺术家得了心梗，第8天就死在了阜外医院，就是大便一使劲。*

"一多"是多咀嚼。老年人可以多吃口香糖，促进咀嚼功能。有些老年人没有牙齿，就要装上假牙；还有许多人由于牙周炎，牙也不好，所以要早晚刷牙，饭后刷牙，保持口腔清洁，牙齿就不容易掉。

"二多"是多做腹部按摩。将清凉油涂在手上，按顺时针方向按摩腹部，面积由小到大，力量由轻到重，按摩到皮肤有些发红。按摩以后，肠子会跟随蠕动。老年人多有顽固性的便秘，用这种方法效果很好，同时也有利于腹部脂肪的吸收和肠管的蠕动。

老人大便干，强烈屏气、猝死厕所里的事经常发生。千万不要用力，要用其他方法通便，如用开塞露、麻仁滋补丸等。当年，一位著名京剧艺术家得了心梗，第8天就死在了阜外医院，就是大便一使劲。就这样，一条生命啊，太可惜了。

"三不"首先是不做剧烈转头运动。我经常看见晨练的老人做转头运动，转动过快、时间过长或动作幅度过大，这可能使颈动脉受压扭曲导致急性脑缺血，发生意外。

其次是洗澡水不要过热。水温过高会使大量血液分布在体表，导致心脑供血不足而发生意外。

第三是不要蹲便。老人长时间蹲便和突然站起，都容易发生脑缺血甚至猝死。所以使用坐便为好。

# 当心！老年性痴呆症

*80岁以上老年人痴呆的发病率达80%。老年性痴呆症死亡率仅次于心血管疾病、癌症、脑血管病！*

有些家庭会遇到这样的情况：家里的老人很少出门，总是长时间地闷在家里，不爱说话也不愿做事，跟他说话，总是答非所问，乱七八糟地不知道说些什么，到医院一询问，才知道是得了老年性痴呆症。

目前我国60岁以上的老人已达1.2亿，估计到2025年，我国老年人口比例将占全国人口的20%左右。有研究表明，随着年龄增长，老年人的痴呆发病率将逐步增高，80岁以上老年人痴呆的发病率达80%。并且，老年性痴呆症死亡率仅次于心血管疾病、癌症、脑血管病！

芬兰开展的一项针对老年人的大型研究发现，高血压和高胆固醇血症是老年性痴呆症的两大危险因素。如果这两大因素偕同遗传因素一起作用于同一个人身上，那么这个人患老年痴呆症的危险性将会是其他人的8倍之高。

法国一个研究小组翻阅了150份有记忆问题的老年人病例，他们发现，67%被疑诊有老年性痴呆症的人都有高血压病史。

# 预防是关键，护理不可少

尊重老人生活习惯和自尊心，加强营养，多参加力所能及的体育锻炼，接近大自然。

痴呆症是大脑老化、萎缩、功能受损所致的智能障碍。面对老龄化社会，人人都关心、体贴、爱护老人。

老年性痴呆症的征兆表现是什么呢？例如，平时讨厌外出，无精打采，常闷在家里；什么兴趣、爱好都没有；常常忧虑、焦躁；配偶去世5年以上；老讲自己过去值得自豪的事，等等。

如果能预测自己将来会不会痴呆，就可以有针对性地预防。预防痴呆，就得对生活充满热情，应该勤动脑、多思考，并注意身体锻炼，有规律地生活，戒烟限酒，合理膳食。

目前，大部分老年痴呆患者由家庭照顾。家人在照料过程中，要注意观察老人的各种变化，尊重他的生活习惯和自尊心，要学会引导他，而不是命令他。要加强营养，鼓励他多参加力所能及的体育锻炼，比如散步、太极拳。想方设法带他去沐浴阳光，接近大自然，开阔视野，给他以细心的照料。

# 早预防，早知道，早治疗

对头疼脑热的小毛病不在乎，顶多买些简单的药吃吃了事，舍不得到医院做检查，结果日积月累，把病给耽搁了。

人到老年，身体各种功能水平下降，多种疾病随时都可能发生，而且一旦发病，病情也会十分严重，难以痊愈，无论是老人还是子女、家庭，物质上、精神上都要遭受巨大损失。因此，老年人更要加强疾病预防意识，多了解一些老年人常见病的科普知识，定期到医院做检查，对疾病早预防、早知道、早治疗。

老年人一般都有艰苦朴素、勤俭节约的好传统，对头疼脑热的小毛病不在乎，顶多买些简单的药吃吃了事，舍不得到医院做检查，结果日积月累，把病给耽搁了。

其实，懂得提前预防的知识，不但能节省很多医疗费、抢救费，更重要的是能够得到个人幸福、家庭安定、社会稳定。

## 远离"魔鬼时间"

早上6时左右~10时左右是全天最危险的时刻，所以国外学者把这段时间称为"魔鬼时间"，这段时间尽量不要晨练。

自然是人类的母亲，人类是自然的儿女。人生活在自然界中，体内的生理代谢与自然界的变化是息息相关的。如春夏秋冬，日出日落，月圆月缺，都与生命的规律有关。冬季天寒，血压就偏高，冷空气过境，血压就波动；夏季血压就偏低，但血黏度又容易偏高。

闻鸡起舞，晨间锻炼，是我国从古代传下来的良好习惯。但是，我们不能无视自然规律。

早晨东方日出，人的交感神经兴奋性即开始升高，血压上升，心率加快，血黏度上升，因此增加了心血管系统的负担和耗氧，心血管病人就容易心肌缺血、心肌梗死、脑卒中。如果健康状况良好，一天中任何时候运动都可以；如果有心血管疾病，就适合在下午4时~6时左右活动，或在上午10点以后外出。早上6时左右~10时左右是全天最危险的时刻，所以国外学者把这段时间称为"魔鬼时间"，这段时间尽量不要晨练。大雾天气不仅空气污染重，而且湿度过度，使空气中含氧量相对变少，也不宜晨练。

人的生物钟常有相对固定的节律，按照规律的生活作息，人体生理代谢最平稳，并且耗能最少，最节约能量，心理生理都处于和谐状态。相反，若是生活无规律，作息无秩序，体内代谢极易被扰乱，轻者有损健康，重者导致疾病，缩短寿命。

科学家发现，即使是最简单的生物也有其自身神秘的、复杂的生物钟在控制着生理节律。如果经常扰乱它，就像经常拨动生物钟的"时针"，可以使其代谢紊乱，寿命缩短约10%。

人越到老年，生物钟越会固定节律，顺应性越差，也就是说老年人更应有规律地作息，尽量少改变生活节律。我们经常见到一些自我感觉健康的老人，因出差、旅游、劳累猝发心肌梗死或猝死，而一些体弱多病者，却因为小心谨慎，规律生活，反而颐养之福，得享天年。

# 一触即发成千古恨，豪饮冰啤误百年身

*一位老人在节日宴会上举杯祝词，说话间，杯落人倒，瞬间死亡。*

有心血管病如高血压、冠心病的中老年人，最怕有诱发因素触发急性心梗、脑卒中或猝死。这就是触发了"扳机效应"，促成发病。其中最明显的"扳机效应"是两个"死亡三联症"。

第一个"死亡三联症"是"饱腹，酗酒，激动"。这三者都对心脏有危害作用，增加心脏负担和耗氧，而老年人的心脏储备功能刚刚满足平时需要，如果在庆典、欢聚、节日宴会上，很容易产生合力造成"乐极生悲"，使欢乐相聚变成伤心永别。

一位老人在节日宴会上举杯祝词，说话间，杯落人倒，瞬间死亡。尸检证实：冠状动脉高度狭窄，心性猝死。有的老友相聚，喜不自禁，谈笑兴奋间，猝死在朋友家中。有的老人，节日期间，上午聚会，下午心梗。

第二个"死亡三联症"是"寒冬，凌晨，扫雪"。同样，这三者都分别增加心脏负担，造成心肌耗氧，三者合在一起形成合力，解释了为什么各个国家猝死最多的时间，都集中在寒冬大雪后的凌晨，因为都有着非常相似的气象条件。

中老年人应当避免面部暴露在0℃以下的冷空气中，因为冷空气可立即引起冠状动脉痉挛和血压升高，造成心绞痛发作。我们就曾遇到过冷天铲雪诱发急性心肌梗死的病人。因此，中老年人要戴好帽子、围巾、手套再外出，别怕麻烦。

一个小伙子下班后感到疲劳，路过小酒馆，狂饮了一升半冰镇啤酒，半小时后回到家，突然感到剧烈胸痛，满头大汗，急忙送医院抢救，确诊为"急性下壁心肌梗死"。原来他是因大量饮冰镇啤酒，图一时痛快，诱使心脏表面的冠状动脉强烈收缩，促使急性心肌梗死。小伙子尚且如此，更何况我们中老年朋友。请记住：警惕冰凉饮料，不宜多饮，更禁忌豪饮。

# 健康教育从娃娃抓起

## 关爱生命，自幼开始

预防"成人病"，儿童期是第一关。

据中央电视台报道，像糖尿病、高血压、高血脂这些疾病都呈低龄化趋势，体检中医生发现，得这些病的孩子多在十岁左右。

为什么我们经济发展了，钱多了，物质生活水平提高了，有些人反而死得更快了呢？有人以为现在心脑血管病多、肿瘤多、糖尿病多都是因为经济发达，生活富裕造成的。错了，完全错了！

研究表明：这些病并不是因为物质文明提高了造成的，而是因为精神文明不足、健康知识缺乏，所以得病越来越多。如果我们提高了卫生保健知识，那么我们就可以在经济发达的同时更健康，而不是病更多。

只要我们从青少年开始，倡导健康文明的生活方式，中年时多储蓄健康，生命的春天将永远伴随我们。所以，预防"成人病"，儿童期是第一关。虽然遗传因素不可改变，但从小养成良好的生活习惯、加强预防就可以有效地控制"成人病"的发生。不把好这个关，小学生患高血压就很危险。第二关就是中年快速进展期，男性以30~39岁进展最快，女性则以40~49岁进展最快。这个时期，承上启下，生活、精神压力最大，应当尽量按照健康四大基石去延缓动脉硬化的进程，而千万不要透支健康，储蓄金钱。第三关是中老年的发病期，这时期最关键的是要预防触发因素，防止发病诱因，如情绪激动、过度用力、体位变化等。

# 若要身体安，三分饥和寒

> 凡是一个小孩儿不知道什么叫饿，只是饱食终日，他就不会聪明。

老中医的养生秘诀有一句话："若要身体安，三分饥和寒。"现在我们的物质生活水平提高了，钱多了，鸡鸭鱼肉都成了孩子们的家常便饭。但是，毕竟孩子们不懂，什么好吃吃什么，不会节制，结果因为不注意饮食，一个个得了"肥胖症"。这不怪孩子，完全是我们做家长的责任。我们应该督促孩子，一定要改变膳食结构，多吃蔬菜、水果、杂粮类的食物，鱼、肉之类的蛋白质一定要适当，油炸食品要少吃。

父母还要控制孩子的食量。现在日本人让中小学生下雪天穿着小裤衩在雪地里走，定期有意不让吃饱，适当地冻他、饿他之后，这些孩子的抵抗力、生命机能都极大地增强，人也变得聪明了。凡是一个小孩儿不知道什么叫饿，只是饱食终日，他就不会聪明。你要让孩子变聪明，简单极了，你饿着他，孩子一饿，他就到处找吃的，实在找不到吃的，他就自己做，这样他很快就学会做饭了，很快就聪明了。马戏团里训练小狗、小熊，就得饿着它，它表演一个动作给一块吃的，如果你给它吃饱了，那小狗、小熊就不表演了。

"三分饥和寒"，不但激发孩子的智力，而且还能增强他的抵抗力。

　　这里，做父母的也要注意自我控制，因为合理膳食往往是全家人的事。如果一家人都坚持健康的饮食习惯，那么得到帮助的就不只是一个人了。

　　父母也要引导孩子进行适当的体育锻炼，不能让孩子在电视和电脑前面一呆就是几个钟头。

## 睡前喝奶，终生喝奶

　　一个工厂，一共养了两只鳖，做了三百多箱鳖精，完了这两只鳖还活着。

　　很多家长对独生子女疼爱有加，但疼得不得法。怎么疼孩子呢？有的家长给孩子买燕窝、买鳖精，还有什么西洋参、蜂王浆，各种各样的补品，生怕孩子营养不良。其实哪有那么多燕窝，一看燕窝，里面全是猪皮。鳖精呢，说得更好，电视台曾报道了一个工厂，一共养了两只鳖，做了三百多箱鳖精，完了这两只鳖还活着。其实花那么多钱买补品干啥，你给孩子喝牛奶加维生素B就足够了。

　　那么，从什么时候开始喝好呢？睡觉前，因为孩子长个子不在白天，生长激素要在夜里分泌，所以睡觉前喝奶加一片维生素C和一片复合维生素B，这个孩子不但长得高，体重正常，抵抗力强，感冒、扁桃腺炎、肺炎、发烧什么也没有，很健康，一路健康，一生健康。一袋奶加上维生素C、复合维生素B，不到一块钱就够了。

# 猴妈妈的实验

当前的社会，压力非常大，竞争非常激烈，我们要想取得成功，智力因素占 20%，非智力因素占 80%。

科学家做过实验，三组小猴子，刚刚出生的小猴，一组猴妈妈喂奶，一组棉花妈妈喂奶，一组铁丝妈妈喂奶。猴妈妈喂奶，猴是亲妈。棉花妈妈是什么意思？就是用绒布、棉花做的仿真猴，这个猴的大小、样子跟真猴一模一样，不过是用棉花做的。铁丝妈妈是什么意思呢？用细铁丝编一个仿真猴，这个猴的大小、样子、颜色跟真猴一模一样，不过是用铁丝做的。三组三个笼子分开养。

喂养过程中吓唬小猴，敲锣打鼓放鞭炮。哎哟！这一吓唬小猴害怕了，害怕就找妈去了。"妈！"亲妈那组，哎哟，妈一看小猴吓得那个样，心疼，抱抱它、亲亲它、摸摸它，告诉它："你别着急，妈妈在你身边，妈疼你，你放心。"哎，这小猴有妈一抱一疼，很快就安定下来了。棉花妈妈这组呢？小猴一抱妈："妈呀！"妈妈挺软和，可妈妈不说话。这是棉花妈妈，软和的妈妈还是个安慰。铁丝妈妈这组呢？小猴害怕去找妈，一抱妈，这个妈妈是硬梆梆、冷冰冰的，还不说话。

这三组猴都有猴奶吃，三组的猴奶是一样的，不过一组是亲妈妈，一组是棉花妈妈，一组是铁丝妈妈。三组猴子都长大了，都有奶喝，长到一岁一测智商，猴妈妈这组智商最高，学习最快，成绩最高；铁丝妈妈这组智商最低，又笨又傻，差距很明显。

再测量情商，也就是非智力因素。当前的社会，压力非常大，竞争非常激烈，我们要想取得成功，智力因素占 20%，非智力因素占 80%。什么叫非智力因素？就是您的团结、协作、与人共事的能力，还有意志、克服困难、品德等。好，一测情商，两组相差更多。猴妈妈这组情商最好，开朗、活泼、外向、团结协作，教育得很好；铁丝妈妈这组情商最低，孤僻、冷酷、内向、自闭、残酷，怎么教育也不好。

# 一岁以内喝母奶

第二次世界大战时期，许多孤儿送到修道院，给他最好的牛奶喝，结果一年之内死了 80%。什么道理呢？因为没有母爱，没有拥抱。

世界卫生组织再三提倡要建立"爱婴医院"，什么意思呢？就是说，一岁以内的婴儿要喝母奶。这一点很重要，因为这样能把母爱带给孩子。母亲喂奶，看看他，抱抱他，亲亲他，疼疼他，摸摸他，拍拍他，就这个母爱啊，是任何人所不能替代的。有了母爱，孩子的大脑发育好，神经系统发育好，而且心理性格好。科学研究表明，从孩子一出生起，母亲多拥抱他，多爱抚他，不但可以建立亲子间持久的亲密关系，而且能促进孩子的生长。因为大脑将拥抱、爱抚作为一种积极的情感接受，导致一系列神奇的激素分泌，这些可以促进生长激素的分泌增加。

我们提倡一岁以内喝母奶，一方面是孩子对母亲奶汁的需要，一方面是对母亲的需要。缺少了母亲的奶，缺少了母亲的爱，下一代的心理、性格发育就容易出现偏差。现在很多少年犯罪、青年犯罪，绝大多数都与家庭环境有关。

其实第二次世界大战时期就已经发现，没有母爱可不得了。德国法西斯发动战争，留下了许多孤儿，这些孤儿怎么办呢？送到修道院，给他最好的牛奶喝，但是最后怎样？一年之内，一个一个接连死亡，死了80%。什么道理呢？

后来科学家研究发现，这批孤儿为什么死亡呢？因为没有母爱，没有拥抱。可他们的妈妈死了，有什么办法呢？于是决定让每个修女必须抱孤儿，从第二天开始，每个修女每天早晚各一次，轮流抱，一次20分钟。虽然抱孤儿的并不是他们的妈妈，但只要有人抱就行。奇迹出现了，很多孤儿马上心情就好了，安定了，有修女一抱，孤儿的死亡率从80%下降到20%。这充分说明了母爱对儿童的身体发育是非常重要的。

# 肥胖是"成人病"的罪魁祸首

**导致儿童肥胖的重要原因就是不良的生活习惯。**

最近有项调查发现，小学生肥胖、得高血压，中学生得脂肪肝、动脉硬化的越来越多。有一个小学生，六年级，体重198斤。还有一个初中的孩子，脂肪肝已引起动脉硬化。为什么？

儿童得了"成年病"的罪魁祸首就是肥胖，而导致儿童肥胖的重要原因就是不良的生活习惯。主要是饮食过剩，吃油炸食品多，吃肉多，不爱吃蔬菜，另外不爱运动，在电视机和电脑前呆的时间太长。如果长期积累，造成营养过剩，肥胖起来当然相当容易。

# 家族遗传别小看

儿童患心血管疾病与家族遗传有密切联系。

有个孩子，从小胆固醇极高，11 岁心绞痛、心肌梗死，13 岁冠状动脉造影，3 根血管高度狭窄，15 岁做了冠状动脉搭桥手术，搭了 4 根，跟叶利钦搭的一样多。为什么呢？爸爸胆固醇高，500 多，妈妈胆固醇更高，600 多，典型的遗传性、家族性。

所以，儿童患心血管疾病与家族遗传有密切联系。

对父母中有高血压、脑卒中、冠心病等病史的儿童来说，他得高血压的概率是正常儿童的 3 倍；肥胖儿童得高血压的概率又是正常儿童的 4 倍；如果父母亲中有高血压、脑卒中、冠心病等病史，再加上肥胖，他的高血压病率就是正常儿童的 12 倍。如果加上不爱运动、吃盐多，则患病率将进一步增高。

在这样的家庭里，父母对孩子更要有百倍的精心才对。

# 动脉硬化是个"瓜熟蒂落"的病

动脉粥状硬化病变起源于少年，植根于青年，发展于中年，发病于老年。

当前，动脉粥样硬化性病包括脑卒中、冠心病、急性心肌梗死、心性猝死所造成的死亡，在城市人口中占 41%，在北京市占 52%，已占人口死亡的第一位。

动脉粥状硬化性疾病是什么时候造成的呢？少年是起源期，青年是植根期，中年是发展期，老年是发病期。

临床上，冠心病、脑卒中的所谓"突发"是动脉粥状硬化病变，是"水到渠成"、"瓜熟蒂落"的必然结果，而并非无中生有的"突发"。此时，动脉粥状硬化早已是全身性多处病变了，而且动脉的狭窄程度至少已是 50%，一般为 75%~90% 的狭窄，有的甚至是完全闭塞。也就是说，只要出现了临床症状，不论症状轻重，动脉粥状硬化已经进入了中、重度病变。

那么，年轻人的动脉是怎样的呢？20 世纪 50 年代朝鲜战争时，美国对战场死亡士兵的尸检发现，在平均年龄为 27 岁的死亡者中，77% 已有动脉粥状硬化表现，可见病变确实植根于青年。

再看看，儿童的情况又是怎样的呢？

有一个重要的儿童动脉硬化研究。在对 22000 名青少年的长期随访研究中，2/3 是白人，1/3 是黑人。研究发现，在其中因各种原因死亡的儿童尸检中，凡生前越胖的，胆固醇和甘油三酯越高的，其主动脉内膜所见到的病变就越重。这进一步清楚证明了：动脉粥状硬化病变是起源于少年，植根于青年，发展于中年，发病于老年。因此，动脉硬化的预防必须从儿童抓起。

# 心理健康，长期工程

科学家对我国 3 万多名中学生进行过调查，发现有 32% 的学生存在心理问题，十八九岁的孩子中有 60.7% 的孩子不会调节心态。

心理平衡是一个修炼的过程。孔子说："三十而立，四十不惑，五十知天命，六十……"确实，二三十岁的人，要达到非常高的境界、非常全面的水平，不可能。

孔子是很了不起的人，都要经历这样长的修炼过程，他都要有实践，有积累，有成功，有失败，有喜悦，有眼泪，才能慢慢成长，更别说我们了。就像打仗一样，一个小伙子说，我兵书读得好，就能打胜仗。没用，非死不可，必须要有实践经验的积累。实用内科学的书满大街都卖，每人买一本，都当大夫去了？两码事，实用内科学不拿你当大夫。或者说我买一本实用外科学就能当外科医生了？哪有那么容易。教育也一样，是一个长期的工程，父母对孩子的心理健康教育应该从小就抓。

## 给孩子一个宽松的成长环境

一个孩子将来能不能成才，他的智慧影响是有限的，心灵、品格、胸怀、胆量才是关键，这跟父母的教育非常有关。

我们很鲜明地提出我们的观点，教育孩子第一是做人的教育，这是一辈子的事。分数高低、会不会弹琴，这是次要的，首要的是做人，会做人才能成才。一个孩子将来能不能成才，他的智慧影响是有限的，心灵、品格、胸怀、胆量才是关键，这跟父母的教育非常有关。

对孩子的教育，环境要宽松，要引导，让他觉得学习是发自内心的活力。现在的孩子不愿与大人交流，因为他的世界与你的不同。

给孩子讲故事是很有趣的过程，也是一种很好的教育形式。其实家庭教育的力量很强大，问题是你会不会教育。

我不会强迫我的孩子做什么、不做什么。我女儿现在十几岁，细细白白瘦瘦的。她特别喜欢篮球，认为篮球是一门艺术，还练跆拳道，但是学习并没受影响，成绩总是前几名。我就告诉她几句话，上课一定要专心，听懂，下课再复习，有时间提前看看有什么难点。她看电视，总是喜欢看自然的、历史的、科学的，我们从不限制她。

她喜欢去书店，喜欢买世界名著，她最喜欢书了。我们和她聊天，就像朋友一样，什么都说。我们和她之间很平等地交流，不居高临下。有时同学之间有一些矛盾，她也生气、心烦，我告诉她这在人际交流中是很正常的。我要让她感到，这些矛盾都是小事，不要大惊小怪，不要太往心里去，要学会大度。遇到事情，我们就告诉她一个大概的方法，具体事情让她自己处理。

如果你很看重这些小事，她也会重视小事，你总培养她小心眼，她就总小心眼，斤斤计较，小肚鸡肠。现在有很多家庭的父母对孩子说话恶声恶气的，这不对，还是要互相尊重，平等交流，让孩子在一个非常宽松的环境中成长。

# 造就和毁掉一个孩子，有时就在一句话

一句话毁了孩子的一辈子，父母都没意识到。

有个孩子，画画很棒，老是得第一。人家问："你爸爸妈妈不懂画画，你的画怎么这样好？"

他爸爸是没什么文化，倒会教育孩子。刚开始看到孩子瞎画，画得猫不像猫，狗不像狗，他爸爸说："孩子，画得太好了，我就喜欢看你画的画。"

孩子想，爸爸说我画得不错，第二天又画。"哎呀，今儿比昨天画得还要好，画得更像了，我还画不出来呢！"这就是鼓励，尽管孩子画得乱七八糟。就这样，孩子越发喜欢画画，也就越画越好了。

另一个女孩，爱唱歌。本来唱得不错，一次她唱歌的时候，老师在旁边说了一句："什么呀，别唱了，你这个破嗓子还想唱歌呀。"从此，小女孩发誓，一辈子不唱歌了。

你们看，一句话毁了孩子的一辈子，她的父母都没意识到。这不光是培养孩子兴趣的问题，更重要的是培养孩子有一个良好心态的问题，培养孩子要有坚定的信念、不怕困难、不怕挫折的问题。

# 第五部分

## 健康生活　四大基石

　　维多利亚宣言中提出的健康四大基石：合理膳食，适量运动，戒烟限酒，心理平衡。这4句话16个字，能极大地改善身心健康，提升生活质量；能使高血压发病率减少55%，脑卒中、冠心病减少75%，糖尿病减少50%，肿瘤减少1/3，平均寿命延长10年以上。从整体说，可使危害人类健康最严重的慢性非传染性疾病减少一半以上，并可使生活质量大大提高，而所花费用不及医疗费用的1/10。

健康四大基石：合理膳食，适量运动，戒烟限酒，心理平衡。

　　合理膳食十字方案：一、二、三、四、五；红、黄、绿、白、黑。

　　合理膳食八字方案：什么都吃，适可而止。


适量运动三、五、七；有氧代谢大步走。

有恒、有序、有度 ；不攀比、不争强、不过量。


幸福家庭三件宝

把好三关：硬件，配件，软件。

培育三情：激情，爱情，亲情。

靠近三邻：话聊，牵手，爱窝。


合理膳食六字方案：一荤一素一菇。

洪昭光健康箴言

# 警惕亚健康

53%的公务员没有注意合理的膳食搭配，71%的人每周运动时间不足3小时，52%的人不很满意自己现在的生活状态……

在国家某大机关任职几载的高小姐，刚刚拿到了副高职称，又被提升为部门主任，事业可谓蒸蒸日上。可近日总感到头痛，颈部、腰背发紧，无力，胸闷，出虚汗。白天吃不下饭，晚上睡不好觉。去医院内、外、妇科逐项作了检查，却没有发现异常……

在同样的工作场所，你只要稍加留意就不难发现，你周围的许多人都有着和高小姐类似的症状：长期持续的疲劳、恋床、四肢乏力、腹痛腹泻、记忆力减退、注意力难以集中、头晕、性功能减退、淋巴结肿大、经常性感冒、无名低热、烦躁不安、背痛或胃痛。

在我们的公务员健康调查中发现，有53%的公务员都没有注意合理的膳食搭配，有71%的人每周运动时间不足3小时，有52%的人不很满意自己现在的生活状态……这些数据更直接地反映出我们公务员的工作、生活状态。

人们常用富有朝气、年富力强来形容办公室一族。然而现实是，在每年的干部例行体检中，貌似健康的人的身体却已潜伏着疾病的征兆或是早已疾病缠身，更多的人是处于亚健康状态，更有英年早逝的事例令人沉痛和惋惜。

# 健康面前，人人平等

上帝是公平的，健康面前人人平等，谁违背谁倒霉，谁顺应谁健康。

健康对我们来说是人人平等的，哪怕你是富豪、你是皇帝，只要你不遵循健康规律，你活的寿命就会比百姓还要短。在健康面前，财富、地位、权力都无济于事。而顺应客观规律的"聪明"人，才一生平安。

对健康来说，人人平等。只要你违背了客观规律，你就要受到惩罚。我有个 38 岁的病人，算是个大款，亿万富翁，一个人就有 15 亿资产，是 8 家公司的董事长。有一天突发急性前壁心肌梗死，救活了。我们给他做冠状动脉造影时发现：左前降支阻塞 100%，右冠状动脉阻塞 80%。他虽然才 38 岁，可动脉硬化的程度比 78 岁的老人还要严重，并形成室壁瘤，心室壁很薄，跟牛皮纸一样，心脏薄得不能咳嗽，一咳嗽心脏可能就会破了。所以，他大便不敢使劲，不能咳嗽，成天拄着拐棍儿。

有一天他问我一个他自己总也想不通的问题："上帝怎么对我这么不公平？人家 38 岁不得病，78 岁都没得病，怎么我 38 岁得了这么要命的病？你看，我年纪轻轻，事业兴旺发达，如日中天，正想干事业，怎么会得这个病呢？我怎么这么倒霉？"

我说："据我所知，上帝是最公平的，自然规律是一样的，人世间很多事不公平，但上帝是公平的，那你为什么得病？很简单，维多利亚宣言提出的健康四大基石——合理膳食、适量运动、戒烟限酒、心理平衡，你违背了这些规律。"他的血抽出来，立刻凝固了，血液太黏稠了，他的血放了 8 小时，上面厚厚一层油，因为高脂血症。他体重 188 斤，腰围 112 厘米。合理膳食——你这个大款，天天大吃大喝，山珍海味，生猛海鲜，膳食不合理，所以你 188 斤。适量运动——你出门就坐奥迪，起码坐辆桑塔纳，你上二层楼都得坐电梯，你不运动。戒烟限酒——你一天两包烟，顿顿都喝酒，烟酒无度。心理平衡——你大款哪有心理平衡，身边多少女秘书啊，你平衡得了她们吗？你今天拉着小蜜的手，心里就颤抖，心跳就快；你明天拉着情人的手，血压往上走，血压升高。你大哥大、BP 机身上挂着，白天呼你，晚上叫你，挣了钱你就激动，赔了钱你就着急，你天天没有心理平衡。好，健康四大基石你条条对着干，你不得心肌梗死，谁得心肌梗死。这正好说明上帝是公平的，健康面前人人平等，谁违背谁倒霉，谁顺应谁健康，这就叫好人一生平安。

## 健康四大基石的核心——适者有寿

*合理膳食，关键是合理；适量运动，关键是适量；心理平衡，关键是平衡。*

古往今来，健康、幸福、长寿一直是人们追求的美好理想，但是无数的偏方、验方、秘方、仙方试过了；无数的滋补品、保健品，"天天惊喜……"，"无效退款……"，"还你一个健康的……"用过了，都收效甚微，或者适得其反。那么，问题在哪里呢？健康长寿怎样得来呢？

这就带来一个问题，为什么物质丰富了，吃穿不愁了，生活小康了，但心脑血管病、糖尿病、肿瘤等慢性病反而增多了，发病也更早了？许多人即使未得病，也是处于"亚健康"；即使不属于"亚健康"，心灵也是灰蒙蒙的，不是春光明媚、春意盎然、自由自在的。特别是儿童肥胖、高血压，患了成人病；青年动脉硬化，血栓形成，患了老年病。提前得病，提前衰老，"亚健康"倒成了普遍现象、流行病。

近年，国际科学界提出了一个口号：公众理解科学、科学引领生活。这里的科学理念指的是 1992 年维多利亚宣言的四大基石：合理膳食、适量运动、戒烟限酒、心理平衡。

四大基石的核心是什么呢？

核心就是古人说的"适者有寿"。"适"指适度、适当、适应。适度是凡事不过分，不过激，不走极端；适当是指把握好事物与环境之间的全方位、多角度、多层次的关系；适应是指随着外界环境变化，自身也要跟着相应变化，即与时俱进。比如合理膳食，关键是合理；适量运动，关键是适量，膳食与运动都是健康必需，但又都是"双刃剑"。心理平衡，关键是平衡。这种平衡并非心如枯井，更非麻木不仁，而是一种理性的平衡，智慧的平衡。喜怒哀乐，人之常情，但切勿大喜大悲、大惊大恐。不然，芝麻大的事就勃然大怒，造成心梗、脑出血，将会遗恨终生。

"适"字，不仅对个人健康有用，而且对治家、治国也一样有用。里根总统上台时的国情咨文里引用了老子《道德经》的一句话："治大国，若烹小鲜"，虽然只有 7 个字，却蕴涵着深刻的哲学道理，即世间万物，大到治国，小到烹鱼，都是一个道理即掌握好"火候"，把握好"度"，则身心健康，国泰民安。反之，则宽严皆误，四面楚歌。

"适"字的本质就是辩证法。一位智者说过：学好哲学，受用终生。哲学是做人、做事、修身、齐家、健康、幸福、长寿的第一法宝。

# 四大基石之合理膳食

合理的膳食可以让你不胖也不瘦，胆固醇不高也不低，血黏度不黏也不稀。

合理膳食要讲，可以讲一本书10万字，我把它精练成10个字："一、二、三、四、五；红、黄、绿、白、黑"。在这个基础上现在又简化了，就8个字："什么都吃，适可而止。"

## 一：一袋牛奶强壮一个民族

日本政府负责给中小学生每人每天供应一袋牛奶，结果就这么一袋牛奶，日本人一代比一代高，一代比一代壮，现在超过了中国人。

"一"指的是每天喝一袋牛奶，为什么呢？东方人以素食为主的膳食习惯有很多优点，但也有些缺点——钙太少，因此，中国人多数缺钙。缺钙会导致什么结果呢？3个结果。钙一少，容易造成骨痛、龟背、骨折。第一骨痛，缺钙的人骨质疏松、骨质增生、腿疼发麻、小腿抽筋，反正浑身疼；第二龟背，越活越矮，越活越萎缩，岁数越大，个子越矮；第三骨折，稍微一动就骨折，一摔骨头就断，这种事太多了。有一个老年病人先是咳嗽时感到胸部很疼，最后不咳也疼，一照片子，把放射科医生吓了一跳，光是咳嗽就咳断了3根肋骨。后来住院，由于行动不方便，翻不了身，护士帮他翻身，啪，又断了一根肋骨，一共断了4根肋骨。全身骨头都松了。还有一个女同志下楼梯，最后一个台阶滑了一下，用手一撑，桡骨、尺骨双骨折，尾骨也断了。

咱们中国人大多数都缺钙，缺多少钙呢？一个人每天需要800毫克钙，而我们的伙食里仅有500毫克，300毫克需要每天补充一袋牛奶，250毫升正好是300毫克。牛奶从什么时候开始喝呢？从1岁开始。喝到什么时候呢？终生喝奶。欧美很多人高大健康，和他们喝奶喝得多很有关系。

最典型的是日本，1937年侵略中国时的"小日本"，个子矮、罗圈腿。现在变了，同龄中小学生对比，日本孩子平均身高超过了北京孩子，比广东、福建孩子高得更多。原来，第二次世界大战战败后，日本政府负责给中小学生每人每天供应一袋牛奶，结果就这么一袋牛奶，日本人一代比一代高，一代比一代壮，现在超过了中国人。

牛奶什么时候喝好呢？睡觉前。特别是对于孩子，他长个子，不在白天，夜间入睡1小时后，生长激素开始分泌，4小时后分泌最多，所以睡觉前喝牛奶再加一片维生素C和一片复合维生素B，这样孩子不但身体高、体质好，皮肤更好，而且抵抗力强，不会经常感冒、发烧，很健康，而每天的花费却很少。

我们很多人说一喝牛奶就拉稀，那怎么办呢？你可以试试喝酸奶。要是不爱喝酸奶怎么办？喝豆浆，可是要喝两袋，因为豆浆里含的钙是牛奶的一半。那还有人说，我牛奶不喝、酸奶不喝、豆浆我也不爱喝，怎么办？那很简单，你就等着受罪吧！

# 二：250~400克碳水化合物

**调控主食可以调控体重，这是最好的减肥办法。**

"二"是指每日摄入250~400克碳水化合物，也就是5~8两的主食。

这5~8两不是固定的，因个人的劳动量、体重、性别、年龄而异。比如民工他干活挺重，一天要吃1斤半；有些女同志呢，胖胖的，工作量很轻，不用5两，3、4两就够了。调控主食可以调控体重，这是最好的减肥办法。现在减肥药很多，什么减肥霜、减肥药、减肥喷雾剂、减肥裤腰带……太多了。实际上，不用这么减肥，调控主食加适量运动是最好的。

# 三：3~4份高蛋白

**吃鱼的地方，例如美国阿拉斯加、我国舟山群岛，居民吃鱼越多，动脉越软，得冠心病、脑血栓的越少。**

合理膳食中的"三"就是指每天进食3~4份高蛋白食物。人不能光吃素，也不能光吃肉。蛋白不能太多也不能太少，3~4份就好，不多不少。

1份高蛋白相当于50克瘦肉或者4个大鸡蛋，或者100克豆腐，或者100克鱼虾，或者150克鸡鸭鹅肉，或者25克黄豆。一天3份。比如说我今天早上吃1个荷包蛋，中午我准备吃1份肉片苦瓜，晚上吃1份豆腐和2两鱼，这样一天3~4份蛋白不多也不少。

人体蛋白越多，死得越快，为什么呢？很多氨基酸从尿里排出，影响肾脏，蛋白过多，消化不良，造成肠道毒素太多。蛋白太少也不行，少林寺的海灯法师60多岁还练"一指禅"，但蛋白营养不良，消瘦，得帕金森氏综合征，后来静脉点滴氨基酸，治好出院后他辟谷，不吃不喝，最后营养不良去世。

那么，什么蛋白质最好？鱼类蛋白质好，它有明确的预防动脉硬化作用。吃鱼的地方，例如美国阿拉斯加、我国舟山群岛，居民吃鱼越多，动脉越软，得冠心病、脑血栓的越少。植物蛋白以什么最好呢？黄豆蛋白。它不但是健康食品，还有一定程度的降胆固醇作用和防癌作用，对妇女还特别好，能减轻更年期综合征。

# 四：牢记四句话

"有粗有细、不甜不咸、三四五顿、七八分饱。"

合理膳食中的"四"就是4句话，即："有粗有细、不甜不咸、三四五顿、七八分饱。"

为维持全面均衡的营养，应粗细粮搭配，单吃粗粮或单吃细粮，都不能维持全面的营养。粗细粮搭配，一个礼拜吃三四次粗粮，棒子面、老玉米、红薯这些粗细粮搭配营养最合适，有明显的蛋白质互补作用，能提高蛋白质利用率，还有维生素、微量元素、纤维素的互补效益。

吃过多甜食对健康不利。据我国10个南北城市人群9年前瞻性研究，分别每日平均多吃 50 克肉、蛋或糕点，则血胆固醇分别平均升高 9 毫克/分升、31 毫克/分升和 22 毫克/分升。可见蛋类对胆固醇影响最大，糕点次之，肉类最小。根据实际调查，我国人群食糖消耗量远低于西方国家，目前尚未达到"过食"程度。

"三四五顿"是指每天吃饭的次数，即在总量控制下，少食多餐。仅仅少量多餐这一饮食习惯本身，就可以相当有效地预防糖尿病、高血脂。在每日摄取量不变的情况下，早、中餐比例大，有利于降血脂、减体重，晚餐所占比例大则相反。少食多餐可使血糖波动幅度及胰岛素分泌幅度变化趋缓。对于超重者，应当早餐占 40%，午餐占 40%，晚餐占 20%，有助于降血脂减肥。

最后是"七八分饱"，吃饭七八分饱是最好的习惯，因为要留二三分底，千万不要吃得太饱。请大家无论如何记得吃饭一定要七八分饱，记住这一句话就可以延年益寿，这句话非常重要。

# 五：500 克新鲜蔬菜和水果

仅每日进食 500 克蔬菜和水果一项，就可使肿瘤发病率下降 1/3 以上。

合理膳食中的"五"是什么意思呢？就是每日进食 500 克新鲜蔬菜和水果。营养学家建议：每日进食 400 克蔬菜和 100 克水果。

新鲜蔬菜和水果除了可补充维生素、微量元素、纤维素之外，业已证明其还有的一个特殊作用是，在预防结肠癌、乳腺癌、前列腺癌、胃癌，降脂减肥，保持健美身材，防治便秘引起的头痛、失眠、心血管病突发事件方面，均有不可替代的益处。有研究表明，仅每日进食 500 克蔬菜和水果一项，就可使肿瘤发病率下降 1/3 以上。

吃水果的最佳时间是饭前 1 小时，因为水果属生食，吃生食后再进熟食，体内白细胞就不会增多，有利于保护人体免疫系统。

# 红：西红柿或一二两红酒

法国人有饮葡萄酒的习惯，其冠心病仅为美国的 1/3。

红：餐桌上的"红"，首先是指一天要吃 1 个西红柿。特别提醒男同志，每天吃 1~2 个西红柿，可使前列腺癌减少 45%。西红柿做菜熟吃更好，因为西红柿里的番红素是脂溶性的。

另外，如果是健康人，无禁忌症，每日可喝点红葡萄酒、白葡萄酒、绍兴酒、加饭酒、米酒也可以。例如红葡萄酒 50~100 毫升，有助于升高高密度脂蛋白胆固醇及活血化瘀，减少中老年人动脉粥样硬化。西方 27 个工业化国家流行病学研究表明：冠心病病死率的高低，与葡萄酒的消费成反比。法国人有饮葡萄酒的习惯，其冠心病仅为美国的 1/3。

另外，如果一个人情绪低落，那么吃点红辣椒可以改善情绪，减轻焦虑，因为红辣椒可以刺激体内放出内啡肽。

# 黄：黄色蔬菜瓜果

补充维生素 A，可以使儿童、成人提高免疫能力，增强抵抗力；使老人视力改善，视网膜好；减少感染和肿瘤发病机会。

餐桌上的"黄"是指黄色蔬菜，例如：胡萝卜、红薯、南瓜、玉米等，其营养素多，内含丰富的类胡萝卜素，能在体内转化成维生素 A。

中国人的膳食中普遍缺钙、胡萝卜素和维生素 A。缺少了会导致免疫力下降，小孩容易感冒发烧，患扁桃腺炎，引起消化道感染；中年人容易得癌症，动脉硬化；老年人眼发花，视力模糊。补充维生素 A，可以使儿童、成人提高免疫能力，增强抵抗力；使老人视力改善，视网膜好；减少感染和肿瘤发病机会。维生素 A 在什么地方多呢？最多的是胡萝卜、西瓜、红薯、老玉米、南瓜、红辣椒，或者干脆说是由红黄色的蔬菜在体内转化成。红黄色的蔬菜所含的维生素 A 多。

# 绿：绿茶和绿色蔬菜

茶叶中的化学成分达 300 多种，包括生物碱、维生素、氨基酸、茶多酚、矿物质、脂多糖等。这些成分有的防病治病，有的营养保健，有的兼而有之。

茶之所以有保健作用，是由它含有的特殊成分所决定的。据测定，茶叶中的化学成分达 300 多种，包括生物碱、维生素、氨基酸、茶多酚、矿物质、脂多糖等。这些成分有的防病治病，有的营养保健，有的兼而有之。

茶叶中最重要的生理活性物质是生物碱，主要有 3 种：咖啡因约 1%~5%，茶碱 0.05% 左右，可可碱 0.002% 左右。其中咖啡因的作用最关键。空腹饮茶，咖啡因的吸收在 2 小时达峰浓度，3~7 小时能排出一半。咖啡因对人的神经系统有广泛的兴奋作用。饮茶后，首先是兴奋大脑皮层（小剂量 50~200mg，每杯茶约含 100mg 咖啡因）即可出现精神兴奋，思维活跃，提高对外界的感受性，消除瞌睡和减少疲乏。剂量加大（200mg~500mg）时，可引起急躁，神经紧张，手足震颤，失眠和头痛。在犬的条件反射实验中，能增加唾液分泌量及缩短反射的潜伏期，但不破坏对阴性刺激的鉴别能力。这表明饮茶与饮酒不同，饮茶时能保持清醒的理智和自控能力，使人更睿智和有风度，与酒后多言失态截然不同。大剂量咖啡因还能使人呼吸加深、加快，血压上升、心率稍快，甚至心律失常，伴有支气管平滑肌松弛，胃液及胃酸分泌增多，尿量增多等。对酒精、催眠药、吗啡、安全药引起的轻度中枢抑制，饮用浓茶是有效对抗疗法。

茶还含有十余种水溶性和脂溶性维生素。每百克茶叶含 Vc 为 100~500 毫克，绿茶的含量比红茶高。Vc 能帮助胆固醇转变为胆汁酸，既有助于降胆固醇又有助于防止胆结石形成。Vc 又是解毒、防辐射、防重金属伤害、防疲劳和感染的能手，并能抑制最终致癌物的形成和抗癌细胞增殖。最近美国国家科学院学报上发表报告称，对在 4 周的实验期内，每天喝 5 小杯茶，或 5 小杯咖啡的实验人员的检测表明：喝茶者，T 细胞分泌的抗病物质增多，抗病菌和抗病毒能力增强，而喝咖啡者没有变化，原因是茶叶中含有的 L-茶氨酸能提高人体免疫细胞的机能。

还有茶叶中有 20%~30%的茶多酚类化合物，能促进脂类化合物从粪便中排出，降低血胆固醇，有助减肥和防治动脉粥样硬化，而喝咖啡能促进动脉粥样硬化。茶叶中热量很少，而两杯某种时尚品牌的咖啡含的热量相当于一个汉堡包。另外茶叶中还有 2%~5%的氨基酸，有些是人体自身不能合成的，有很重要的生理功能。茶叶还有 40 余种矿物质元素，比如锌，对青少年的体格发育，智力发育和成人的性腺机能都有重要作用。

茶叶除了许多药理作用外，更重要的保健作用表现在心理、社会和心灵方面。饮茶是一种格调高雅的文化，要有平和的心态和悠闲的环境，中国大师林型南先生以美、健、性、论四个字表达我国的茶艺精神，日本茶道则以"和敬清寂"作为基本精神。

日常生活中，中国人讲究以茶待客，以茶怡情，"寒夜客来茶当酒"，从"柴米油盐酱醋茶"到"琴棋书画诗曲茶"可以看出，无论是物质生活还是精神生活，自古就离不开茶。《琵琶行》中"商人重利轻别离，前月浮梁买茶去"，鲁迅的小说《药》也是以茶馆为背景。

饮茶与饮酒，喝咖啡不同，是在一种清新幽雅，淡泊宁静的气氛中进行。一杯清茶，坦诚相见，给人一种缓和情绪，松弛精神，冷静理智的休闲。饮茶能使许多争端、烦恼都烟消云散，使人得到六根清净的解脱，因此历代都将饮茶与打禅联系在一起，喻"饮茶为生活中小禅"。典型例子就是绍兴人的"吃讲茶"，许许多多民事邻里纠纷，都可以在茶馆里"吃茶讲理"并邀请"店主"裁决，在静穆的氛围中，平和的心态下，品味苦涩的茶水，许多事都能"化干戈为玉帛"，起到和睦邻里、安定社会的作用。

# 白：燕麦粉、燕麦片

1963 年美国农业部对 37 种农产品保健作用的研究，结果发现燕麦保健作用最为理想。

白指燕麦粉、燕麦片。

燕麦保健作用的发现，源于 1963 年美国农业部对 37 种农产品保健作用的研究，结果发现燕麦保健作用最为理想。经动物试验、人体志愿者试验和流行病学研究，均表明燕麦有恒定、良好的降血脂作用。此后，燕麦即作为保健食品而风行世界各地。燕麦粥不但降胆固醇，降甘油三酯，还对糖尿病、减肥特别好。特别是燕麦通大便，很多老年人大便干，造成脑血管意外。

老年人服燕麦粥时，水宜多放。煮开后用文火再煮约 10 分钟，此时若再加入牛奶，烧开即可食用，这样既可降血脂，又能补钙，一举两得。

# 黑：黑木耳

黑木耳可以降低血黏度，可使血液稀释，不容易得脑血栓，也不容易得冠心病。

餐桌上的"黑"是指黑木耳。

黑木耳这个东西特别好，它可以降低血黏度。可使血液稀释，不容易得脑血栓，也不容易得冠心病。

现在很多老年人得血管性痴呆症，这种痴呆症是很多细小的毛细管堵塞了，不是一根大的堵塞。突然堵塞，半身不遂，破了就脑出血；细小的毛细管慢慢地堵塞，最后脑子不行了，傻了，记忆没有了。这种情况大多数是因为血黏度太高造成的。可以一天吃 5~10 克黑木耳，相当于 1 斤黑木耳要吃50~100 天。每天一次吃一点，做汤做菜都可以。

# 什么都吃，适可而止

有一个科学院的院士，胆固醇高，大夫给他列了个单子，有 20 多种东西不能吃；血糖高，又一张单子，40 多种东西不能吃，加起来有 60 多种东西不能吃，那还能不贫血？

曾有一个病人问大夫：我有冠心病、糖尿病，您看吃什么好呀？大夫问他：您爱吃什么？他说，我就爱吃东坡肘子、红烧肉。大夫说，那可不行，东坡肘子、红烧肉动物脂肪多，你不能吃。那猪肝呢？也不能吃。大夫说。我东坡肘子、红烧肉、猪肝、鸡蛋不能吃，最近说我血糖高，连香蕉、桃子、西瓜都不能吃了。我这也不能吃，那也不能吃，我活着还有什么意思啊！我告诉他："没事！什么都吃，不过还有四个字，您可要记住：适可而止。您别天天吃东坡肘子，否则就不行了。"为什么呢？实际上，人体自身有很强大的代偿能力和调节能力。如果您没有病，没有糖尿病，没有冠心病，那可以什么都吃，什么营养都有了，营养也就最均衡了。但要适可而止，别变胖了。当您查出有了病，例如脂肪肝、糖尿病、冠心病，那您就需要格外注意些，特别查出胆固醇很高时，就更要注意了，需严格控制一下，但仍可以什么都吃。

有一个科学院的院士，很有钱，住花园洋房，有司机、保姆。可一检查不得了，营养不良，贫血。很奇怪，这么有钱的人还贫血，那我们这些人还怎么活啊！什么道理呢？原来他在医院检查胆固醇高，大夫给他列了个单子，有20多种东西不能吃；血糖高，又一张单子，40多种东西不能吃，加起来有60多种东西不能吃，那还能不贫血？到后来他找我问，洪教授您看看我该注意什么呢？

我告诉他说，很简单，两句话，第一句话是什么都吃。你想吃什么吃什么，爱吃什么吃什么，因为饮食是一种文化，也是一种享受，什么都吃，什么营养都有，因为营养是互补的，世界上没有任何一种食物能满足人的各种需要，所以什么都吃营养才能齐全。

但是第二句话可别忘了，适可而止。有些东西可以尝尝味道，吃一口，或偶尔吃一次，但你天天顿顿都吃东坡肘子可不行啊，适可而止。那什么叫适可而止呢，就一句话，吃饭七八分饱。

## 腰带越长，寿命越短

现在在美国买保险，头一件事，先量裤腰带，裤腰带长的保费就高。

中医有句老话："若要身体安，三分饥和寒。"美国科学家做过这样的实验，100只猴子随它吃饱，另外100只猴子吃七八分饱，定量供应。结果呢？随便敞开吃饱的这100只猴子10年下来，胖猴多、脂肪肝多、冠心病多、高血压多、死得多，100只猴子死了50只；另外100只吃七八分饱的猴子，苗条，健康，精神好得多，很少生病，100只猴子10年养下来才死了12只，现在一直养着。观察到最后证明，所有高寿猴子都是七八分饱。

怎么知道是七八分饱了呢？这里有两个标准：体重和腰带。第一个是体重，大家都明白了；第二个是腰带，为什么呢？裤腰带越长，表明肚子越大，肚子越大表示脂肪越多，脂肪越多表示动脉硬化越快，心肌梗死、脑出血越多。英国有句谚语：腰带越长，寿命越短；心跳越快，死得越快。这句话请大家一定要记下来。因为什么啊？腰带越长，表示你超重了，交感神经过度兴奋，就像一辆卡车，这个卡车可以装3吨，现在装上两吨半，中等速度开，可以开10年，要是装5吨，高速度开，一年两年就报废了，人也是一样。

那么腰带应该多长呢？男同志为二尺六（即87厘米），不超过二尺八（即93厘米）；女同志为二尺四（即79厘米），不超过二尺六（即87厘米）。

大家回去量一量啊，女士们要是过了二尺四，男士们过了二尺六，必须注意了。现在在美国买保险，头一件事，先量裤腰带，裤腰带长的保费就高，谁要是抽烟的话，一天抽一包烟的话，好，保费增加100%。因为他知道你一定死得快。

按照这两个标准，您就可以了。具体说，"适可而止"就是一个人要想长寿，必须吃饭七八分饱。

# 饭前喝汤，苗条健康

你想一个月减 1 斤，吃饭七八分饱，一句话就够了；1 个月想减 2 斤体重，加上一片药；要想减 3 斤呢？美国有个实验证明，不吃药，吃饭五六分饱，加上走路慢跑。

研究表明：超重和肥胖所造成的提前死亡（诱发糖尿病、动脉硬化、心脑血管病、脂肪肝……）比癌症还要多，对人们心理、生活、自信心、自我形象造成的负面影响超过任何一种疾病，花在治疗肥胖上的时间与金钱几乎无法统计，肥胖已成为公认的当代社会人们健康的大敌。

怎样算是超重或肥胖呢？按最新的亚洲人的体重标准：**超重指体重指数**（体重·公斤/身高·米$^2$）≥24，肥胖是≥28。由于计算有些麻烦，可用简明的近似公式：

1. 理想体重：身高（厘米）−105，此为航天员体重标准，如身高 170 厘米，体重为 65 公斤。

2. 超重：体重>身高（厘米）−100，如身高 170 厘米，体重>70 公斤。

3. 肥胖：体重>身高（厘米）−90，如身高 170 厘米，体重>80 公斤。

4. 消瘦：体重<身高−120，如身高 170 厘米，体重<50 公斤。

有人很奇怪，为什么生活一旦改善，人们就容易发胖呢？从根本上说，这是人性的弱点造成的，人有好吃懒动的弱点，容易吃得偏多，动得偏少。随着经济发展，食物越精越美，含热卡越高；而同时汽车、电梯、电脑、高楼林立、远离自然，人们运动减少，肥胖成了社会发展的必然，也成了诸多疾病的祸根。

现在有些人想减肥，到处买减肥霜、减肥膏、减肥药、减肥茶，现在满大街都在卖减肥裤腰带，说是一勒以后定向减肥。许多女同志买了，回来一用，好，肥没减下来，痔疮倒出来了，因为一勒以后啊，静脉回流受阻。其实啊没有必要，再肥谁也肥不过意大利男高音歌唱家帕瓦罗蒂啊，他300多斤都不靠吃药减肥，他那回来北京，在故宫午门前搭台子唱歌，怎么上也上不去，怎么办，临时找了个起重机给吊上去的。

最近在北京、上海做个减肥研究，选两组人，一组用假药，一组用真药。假药就是淀粉，吃假药那组，6个月体重下降6斤，平均每个月体重降1斤，腰围减少4.5公分。而吃真药这组，6个月体重平均下降12斤。1个月平均降2斤，腰围减少7.5公分。这就是说啊，减肥没有问题，你想一个月减1斤，吃饭七八分饱，一句话就够了；1个月想减2斤体重，加上一片药；要想减3斤呢？美国有个实验证明，不吃药，吃饭五六分饱，加上走路慢跑。最近我们又想出一个更好的办法，一句话，甭吃药，叫饭前喝汤，苗条健康。

人在饥饿进餐前，食欲中枢兴奋性最高，越胖者越高，一进餐，狼吞虎咽，5分钟左右已摄入近80%的热卡，等到出现了饱腹感，所摄热量已经超标，此时再喝些肉汤，脂肪进一步超标，必然越喝越胖。科学的做法是：坐上餐桌后，先别忙吃饭，先安静一下，喝一碗汤。研究表明：汤一进胃内，不单是占据容积，更重要的是通过胃黏膜迷走神经的传导反射到食欲中枢，使食管中枢的兴奋性下降，食量自动减少三分之一，使饱腹感提前出现而且进餐速度变慢，总摄入热卡减少，形成习惯，日久天长，使人苗条健康。广东人、福建人，饭前喝汤就是典型例子，而北方人饭后喝汤，肥胖者也明显增多。

对一些肥胖者的观察表明：只要做到饭前喝汤，不需要任何减肥药，体重每月能下降 0.5~1 公斤，半年后有显著效果。在两餐之间有饥饿感时可进食少许低热卡食物，对重度肥胖的人，针刺疗法有助于减少饥饿感，使减肥过程更顺利。

既然喝汤能让我们又苗条又健康，那我们喝什么汤好呢?

综合起来以清淡，营养均匀，低热量的蔬菜汤最好。中央电视台《健康之路》和《一年又一年》的年夜饭节目中介绍的"保健汤"。红——西红柿、红柿子椒；黄——半个鸡蛋、胡萝卜、嫩玉米；绿——各种绿叶蔬菜，色深的更好；白——南豆腐；黑——黑木耳或蘑菇，也可加入少许肉末、肉片、调味品，做成羹汤，根据个人爱好，随意做成各种花样。饮食是一种文化，科学的饮食不但让你吃出营养，吃出美味，还能吃出健康。让我们开始吧!饭前喝汤，苗条健康——一个苗条的世界就是一个更健康美好的世界。

## 走出喝汤的误区

**喝汤不吃渣，爱喝"独味汤"，喝太烫的汤，饭后才喝汤，汤水泡米饭。**

喝汤的好处这么多，难怪餐桌上的汤是全世界老百姓的共同爱好。不少国家还有自己的"名汤"，例如俄罗斯的罗宋汤，美国的咖喱牛肉汤，日本的海带汤……我国则在不同地域、不同季节有喝不同汤的习惯，诸如老鸭汤、黄豆小排汤、荠菜豆腐汤等。因为喝汤是每个人的习惯，似乎没有什么学问，其实也有不少误区，让我们一一道来：

喝汤不吃渣——有人做过检验，用鱼、鸡、牛肉等不同含高蛋白质原料的食品煮 6 小时后，看上去汤已很浓，但蛋白质的溶出率只有 6%~15%，还有 85% 以上的蛋白质仍留在"渣"中。其实经过长时间烧煮的汤，其"渣"吃口虽不是最好，但其中的肽类、氨基酸更利于人体的消化吸收。因此，除了吃流质的人以外，应提倡将汤与内容物一起吃下去。

爱喝"独味汤"——每种食品所含的营养素都是不全面的，即使是鲜味极佳的富含氨基酸的"浓汤"，仍会缺少若干人体不能自行合成的"必需氨基酸"、多种矿物质和维生素。因此，提倡用几种动物与植物性食品混合煮汤，不但可使鲜味互相叠加，也使营养更全面。

喝太烫的汤——有百害而无一利，喝 50℃ 以下的汤更适宜。有的人喜欢喝滚烫的汤，其实人的口腔、食道、胃黏膜最高只能忍受 60℃ 的温度，超过此温度则会造成黏膜烫伤。虽然烫伤后人体温表有自行修复的功能，但反复损伤极易导致上消化道黏膜恶变，经过调查，喜喝烫食者食道癌高发。

饭后才喝汤——这是一种有损健康的吃法。因为最后喝下的汤会把原来已被消化液混合得很好的食糜稀释，势必影响食物的消化吸收。正确的吃法是饭前先喝几口汤，将口腔、食道先润滑一下，以减少干硬食品对消化道黏膜的不良刺激，并促进消化腺分泌，起到开胃的作用。饭中适量喝汤也有利于食物与消化腺的搅拌混合。

汤水泡米饭——这种习惯非常不好。日久天长，还会使自己的消化功能减退，甚至导致胃病。这是因为人体在消化食物中，需咀嚼较长时间，唾液分泌量也较多，这样有利于润滑和吞咽食物；汤与饭混在一起吃，食物在口腔中没有被嚼烂，就与汤一道进了胃里。这不仅使人"食不知味"，而且舌头上的味觉神经没有得到充分刺激，胃和胰脏产生的消化液不多，并且还被汤冲淡，吃下去的食物不能得到很好的消化吸收，时间长了，便会导致胃病。

你想变得健康吗？ 你就跑步吧！
你想变得聪明吗？ 你就跑步吧！
你想变得美丽吗？ 你就跑步吧！
——古希腊 爱默生名刻

八字健身歌：

日行八千步，夜眠八小时，
三餐八分饱，一日八杯水，
养心八珍汤，强身八段锦，

# 四大基石之适量运动

医学之父、古希腊名医希波克拉底说过："阳光、空气、水和运动，是生命和健康的源泉。"这句话传诵了 2500 年。就是说，你要想得到健康，运动同阳光、空气和水是一样重要的，由此即可看出运动的重要性。

## 运动是最好的安定剂

"您想变得健康吗？您就跑步吧；您想变得聪明吗？您就跑步吧；您想变得美丽吗？您就跑步吧。"

古往今来，不知多少人梦寐以求地追求健康和长寿，但总是失之交臂。原因是他们花费高昂的代价追求奢侈豪华，却忘记了"生命在于运动"这一身边最朴素的真理。

在古代奥林匹克运动的发源地、世界文明古国之一的古希腊，人们自古以来崇尚体育运动和人体的自然美，不论绘画或雕塑，处处洋溢着青春活力，至纯至善的美。在阳光明媚，蓝蓝的爱琴海旁的山崖上，至今保留着古代的岩刻："您想变得健康吗？您就跑步吧；您想变得聪明吗？您就跑步吧；您想变得美丽吗？您就跑步吧。"

不仅如此，从医学流行病学的研究也反复证明：体育运动能够改善生活质量，提高人类寿命，并在很大程度上有效地预防高血压、冠状动脉硬化性心脏病、脑卒中、非胰岛素依赖性糖尿病、骨质疏松症、结肠癌、乳腺癌等主要慢性非传染性疾病；运动还有减肥功能和调整神经系统功能的作用。

生命在于运动——这是一个永不过时的口号。坚持锻炼有利于健康，它可使您的血液变得"富有"，血管富有弹性，肺活量增加，心肌更加强壮，心率降低，骨骼密度增强，血压降低；还可以控制体重，使形体更趋健美，预防肥胖；还能提高机体工作能力的耐力、激发和增强机体免疫力、改善不良情绪等等。

更为重要的是，积极运动的人，外表和身体机能都处于良好状态，性格开朗，对生活充满信心。18世纪一位法国医生讲过："运动可以代替药物，但没有一样药物可以代替运动。"怀特博士还曾指出："运动是最好的安定剂。"因此，我们公务员们一定要做到适量运动，并贵在持之以恒。

# 长期静坐，公务员平均"老"5岁

25至44岁的公务员监测年龄竟比实际年龄大了5岁，原因是长期静坐，缺乏锻炼。

上海市体育科学研究所对本市公务员进行的体质监测显示，25至44岁的公务员监测年龄竟比实际年龄大了5岁，原因是长期静坐，缺乏锻炼。为此，他们采取"政府埋单"的方法，为区内每个公务员购买了一张健身卡，"强迫"他们参加锻炼和体质测试。

体质监测结果显示，半数以上的公务员日常生活和工作中的静坐状态超过 5 小时，其中三成甚至超过 7 小时，而从不参加体育锻炼者超过 60%。他们中多数上下班以车代步，能乘电梯就绝不走楼梯，一回家就坐沙发。其中 63%的公务员一整天都走不上 10 分钟的路。公务员们肌肉力量因此普遍不佳，16%的人状态极差，只有 5%优秀。

多数公务员已处于亚健康状态，体重超重，肌肉无力，心肺功能差，精神状态不佳。建议公务员们应该多动少坐，多锻炼身体，如没有时间运动，上下班可步行一二站路，双休日可举家出游。

# 最好的运动是步行

与每周步行少于 1 小时的老人相比，每周步行 4 小时以上者，其心血管病住院率减少 69%，病死率减少 73%。

走路可以减少糖尿病，走路可以降低高血脂，走路可以使动脉硬化变软，走路可以使脑子清楚，走路不容易摔跤，走路可防止痴呆，走路使人愉快……走路的好处多得不得了。

什么样的运动最好呢？经过大量的科学研究，1992 年，世界卫生组织指出：走路步行是世界上最好的运动。因为人类花了 300 万年，从猿到人，整个人的身体结构是步行进化的结果，所以人体的解剖和生理结构最适合步行。而且，走路运动简单易行，还不用花钱。

20 世纪 20 年代初，美国心脏学会奠基人、著名的心脏病学家、几任美国总统保健医生怀特博士第一个提出：从进化论角度看，步行是人类最好的运动，对健康有特殊益处。他创造性地将步行锻炼作为心脏病人和心肌梗死后康复治疗的方法，并取得良好效果。他建议健康成人应每日步行锻炼，并作为一种规律性的终生运动方式。他的权威性科学论著作为教科书影响了整整几代人。怀特博士曾经引用西方谚语："没有紧张，没有烦恼，就没有高血压。"他80多岁来中国时，住在12层楼，上下不乘电梯，每日步行活动。作为一代名医，其言行风格堪为典范。

通过对1645名65岁以上老人的4.2年前瞻性研究发现：与每周步行少于1小时的老人相比，每周步行4小时以上者，其心血管病住院率减少69%，病死率减少73%。步行应成为中老年人良好的保健运动，是心血管病有效的预防措施。

在这里，我还要强调一条：动脉硬化是可预防的，动脉硬化从无到有，亦能从有到无，是可逆变化的。1960年我当实习医生的时候，老师告诉我，动脉一旦硬化，就不能逆转。到最近科学家才证实，动脉硬化在一定程度上是可逆的过程，虽不能彻底消退。走路就是使动脉粥样硬化斑块变稳定和消退的最有效的方法。研究证明：只要步行坚持1年以上，就有助硬化斑块消退。经过步行运动锻炼，对降低血压、降低胆固醇、降低体重都很好。过量运动有时会造成猝死，很危险，步行运动最合适。

我们有一个党委书记今年72岁，10年前退下来，经过10年，72岁比62岁还年轻，身体更好，精力充沛，面色更红润。体检各项指标数比10年前还好。什么道理呢？就是坚持天天走路。走路的好处可是不得了，小平同志也是每天走路，所以身体一直很好。

目前，仅在北美洲，就有8000万人参加步行运动；在欧洲，步行运动、徒步旅行日益成为现代人的生活方式。

对于中老年人，一般不提倡举重、角力、百米赛等无氧代谢运动，而提倡以大肌群运动为特征的有氧代谢运动，例如步行、慢跑、游泳、骑自行车、登山、球类、健身操等为好，个人可随意选择。

# 适量运动的"三、五、七"

雷洁琼95岁时，电视台采访她，问她如何能做到身体这样好，她说惟一的爱好就是天天走路。

怎么步行最好呢？3个字：三、五、七。通常掌握这3个字的运动是安全的。

"三"指最好每天步行约3公里，时间在30分钟以上。

"五"指每周运动5次左右，只有有规律的健身运动才能有效。

"七"指运动的适量。那么，什么叫适量呢？就是有氧运动强度以"运动后心率+年龄=170左右"为宜。这相当于一般人中等强度的运动。比如说我50岁，运动后心率达到120次／分钟，50+120=170。如果身体素质好，有运动基础，可以多一些，例如可达190左右；身体差可以少一些，年龄加心率达到150左右即可。总之，步行运动要量力而行，否则会产生无氧代谢，导致不良影响或意外。

最近有个资料，老年分2组，一组就是一天平均走4.2公里，一组就是基本上不走路。结果发现：走4.2公里这组老年人病死率、冠心病发病率比不走路那组下降 60%。这是步行走路的好处啊。

据报道：雷洁琼 95 岁时，电视台采访她，问她如何能做到身体这样好，她说惟一的爱好就是天天走路。还有陈立夫，他为什么能活到 100 岁？也是每天步行。

北京南池子东华门边上有个庙叫做普渡寺。20 世纪 60 年代，那里住着一个道士，他很穷，民政部门每月给他 15 元的生活补助（现在补助多了一点）。他没有工作，也没有孩子，什么都没有，就一个人。按理论上讲，又穷又孤独的应该死得很快。但这道士有一个特点，就是每天早上一起来，便挂着拐棍，从东华门走到建国门，完了又从建国门绕回来，2 个小时，一年四季天天走。那个寺庙还有许多房子，原来这些房子住着一些名人，现在这么几十年下来，很多人不知道哪去了，可能有些早就变成了骨灰，惟独这个道士耄耋之年还生活得好好的。他其实并没什么很好的营养或者吃很好的东西，就是每天早上起来棍子一拿就走了。2 个小时，就这么简单，但一直坚持，到现在身体非常好。

步行运动坚持下去，可以代替很多保健品。我调查一些人，只要每天走路基本上不会那么快衰老。最近跟我拍电视的病人也是那样，比十几年前看起来年轻多了。他钱多了吗？没有。地位高了吗？也不高。他就是跟他老伴每天一起走路。走路可以减少糖尿病的发病，走路可以降低高血脂，走路可以使动脉硬化变软化，走路可以使脑子清楚，走路不容易摔跤，走路可防止痴呆，走路使人愉快……走路的好处多得不得了。

# 三个"半分钟"，让你少受罪

*醒来后不要马上起床，而是要在床上躺半分钟；然后慢慢起来坐半分钟；再将两条腿下垂在床沿边等半分钟，然后再站起来走动。*

运动的细节中也有很多讲究，尤其对中年同志来说更为重要，这时，我给大家介绍一下三个"半分钟"和三个"半小时"。

三个"半分钟"是说：醒来后不要马上起床，而是要在床上躺半分钟；然后慢慢起来坐半分钟；再将两条腿下垂在床沿边等半分钟，然后再站起来走动。

这三个"半分钟"，不花一分钱，却可以救很多人！很多人白天好好的，过了一夜却听说死了。嗯，昨天我还见到他，怎么就死了呢？原因是他昨夜里起夜，突然一起床，动作太快，造成体位性低血压，脑缺血眩晕摔倒，颅骨摔碎了。

那么科学家怎么提出这三个"半分钟"呢？因为我们在通过心电图监测时，发现好多人白天心电图正常，突然晚上老是心肌缺血，提前收缩，是什么道理呢？因为，他突然起床用力，动作过快，一下子血压低了，造成脑缺血心脏停了。

现在我们如果掌握这三个"半分钟"，不花一分钱，脑缺血没有了，心脏可以很安全，减少了很多不必要的猝死，不必要的心肌梗死，不必要的脑卒中。

有一次我讲完课，有位老干部大哭，我问："您哭什么呢？"他哭得更伤心了说："唉，我就是两年前夜里上厕所，起得快了一点，猛了一点，头晕，结果呢，第二天半身不遂了，整整在床上躺了8个月，长起褥疮来，儿子都不孝顺了。我要是早听您这堂课就不至于半身不遂了，早知道三个'半分钟'，我哪至于受8个月的罪啊！"

# 三个"半小时"，健康有活力

　　每天早上起来活动半小时，中午睡上半小时，晚上步行半小时。

　　我推荐的三个"半小时"是指：每天早上起来活动半小时，中午睡上半小时，晚上步行半小时。

　　每天早上起来运动半小时，打打太极拳，跑跑步，或者别的运动，但要因人而异，运动适量。

　　其次，在午休时睡上半小时，这是人体生物钟需要。中午睡上半小时，下午上班，精力特别充沛。午睡很重要，只要每天坚持午睡半小时，冠心病的病死率就会减少30%。因为午睡这段时间，血压处于一天中的低谷，心脏也因而得到保护。

　　所以同志们要记住千万不要连续工作过长时间，一定要留一点休息的时间。曾经有一位副主任医师，为了参加一个国家级的会议赶几篇文章，忙得不得了，因为过分紧张，过分劳累，心脏病突发，结果趴在办公桌上死了，才42岁，非常可惜。再忙，也要该活动的时候活动，该休息的时候休息。

　　三是晚上步行半小时，可使晚上睡得香，减少心肌梗死、高血压发病率。

# 冬天锻炼有误区

"冬日猝死三联症"，即"冬天、凌晨、扫雪"。

运动是健康四大基石之一，其重要性自不待言。但运动又是一把双刃剑，过量或不适宜的运动又能伤害身体，甚或造成猝死，在冬天的晨练中尤为突出，不可不防。冬练应注意以下几点：

一、季节适应。深秋初冬，天气乍寒，尤其是大风过境，寒流降温时，一些人对寒冷的"应激反应"强烈，表现为交感神经兴奋，血压升高，心率加快，皮肤微小血管收缩，容易造成心血管意外。一般经过4~6周后，进入真正的冬天，机体适应了低温，反倒相对安全些了，这就是"冷习服"过程。

二、温度与风力。据北京市74万人心血管病10年监测结果显示，北京市的急性心肌梗死与脑卒中都是与平均温度呈典型性逆向相关，即平均温度越低，则急性心肌梗死与脑卒中发病率越高。研究表明：当从室内走到室外，受0℃以下的冷空气直吹面部，可立即引起冠状动脉痉挛和血压升高，造成心绞痛发作。因此除作好戴帽、围巾、手套等保暖防护外，过冷的天气，患心脑血管病的同志不宜外出。另外风力可加大低温的致冷效应，也应同时考虑。

三、生物钟节律。按生物钟现象，人体在下午4~6时，心血管功能处最佳状态，其次为上午10时以后，最差是凌晨6~9时。因此，如果健康状况良好，则一天的任何时候运动都可以，如果有心血管疾病，如高血压、冠心病、心绞痛、心功能不全，则宜选在下午 4~6 时活动，或在上午 10 时以后外出，尽量不要凌晨冬练，因为这时交感神经张力急剧升高，心血管负担最重。大雾天气不仅空气污染重，且湿度过高也使空气中氧含量相对变少，也不宜晨练。

四、运动量。冷天本已使机体耗氧量增多，凌晨又是危险时刻。因此这时候的运动量要相应减少，不然容易使有氧运动变成无氧运动，结果适得其反。

五、饮食调养。提高机体防寒能力的饮食原则是高蛋白、高热量及充足水分。蛋白质有一种特殊热动力作用，使机体不怕冷。充足的水分能保证机体有良好周围循环，不易冻伤。机体是否缺水，可看晨尿颜色，如呈黄色就是缺水，如颜色很淡，就是正常；也可测尿量，如每日在 1500 毫升以上就属正常。总之一句话，就是冬练期间要吃好喝足。

中年人，尤其是合并心血管病患者要谨防心性猝死，其中最常见的就是"冬日猝死三联症"，即"冬天、凌晨、扫雪"，这三者的每一项都是增加心肌耗氧的。如果合并在一起，就构成很大的危险，切须注意，谨防万一。

## 强身健体"八个八"

日行八千步，夜眠八小时，三餐八分饱，一天八杯水，养心八珍汤，强体八段锦，无病八十八，有寿百零八。

健康长寿是人类最美好的追求，是社会最宝贵的财富。

日行八千步，夜眠八小时，三餐八分饱，一天八杯水，养心八珍汤，强体八段锦，无病八十八，有寿百零八。

我说"日行八千步"，并非绝对，按日本人的方法是日行 1 万步，也可以。但至少 3 公里，也就是 6000 步。8000 步是个大概，最高 12000 步，最低 6000 步。"夜眠八小时"，很多人以为，人类睡六七个小时就够了。做实验得出的结论，人类需要睡眠 8 小时。美国人在极黑的房间里、黑黑的山洞里做实验，不受外界干扰，发现人无论睡眠长短，通常醒 12 小时，睡 6 小时，或醒 18 小时，睡 9 小时，平均算下来睡眠时间正好是醒时的二分之一。按照生物节律，按照自然规律，人每日睡 8 小时符合生物钟。

还有就是经常做做八段锦。国家体委的一位老领导，80 多岁，身体好得不得了，还长跑呢！他就是按照八段锦做的。现在有人也想开了，很多人为了锻炼身体，愿意花 1 万块钱买个卡，下了班开车去健身房，你走路去多好。换完衣服，练得满身大汗，再洗澡。你要练这个肌肉，那个肌肉，这种锻炼都不如八段锦管用。中国的传统养生法非常简练，非常省钱，非常有效。现在健身器械越来越复杂，什么耗氧量、卡路里多少，动不动一张表格。要我说啊，最复杂的本来可以变得最简单，没有这个表格我感到很舒服。其实男的、女的、壮的、弱的，大家不可能都一样。人人弄一个表格，就像一件衣服，男女老少高矮胖瘦，衣服就一套，一样的宽三尺，长十尺五，怎么行？

"无病八十八"，强调健康寿命长。半身不遂地躺在那儿，耗着，没有生活质量。"有寿百零八"强调的是健康寿命，即活着就要享受生活，生活就要讲究幸福度。"养心八珍汤"讲的是人的整个人生、整个世界的阴阳和谐、中庸，中国的中庸是指平常心。平常心好啊，平常心就是中庸。

中国人的思维和西方人的思维是有差异的。在追求健康上，我一直推崇的是东方式的大思维。健康已不是一个单纯的医学问题，而是要让大家进入良好的思维习惯。

# 四大基石之戒烟限酒

目前，吸烟喝酒的人是越来越少，但还是有一定比率的老烟民、老酒友，乐此不疲，想戒也戒不掉。戒烟戒酒难的原因是许多人不相信吸烟喝酒有这么大的危害，他们认为吸烟喝酒的危害是医生们的夸大宣传而已，等到发现肺癌、冠心病、肝硬化、脑卒中时，后悔已晚。

## 吸烟是死亡的"加速器"

**每 1 元的烟税收入就有 1.2~1.4 元的相应损失。**

吸烟是 20 世纪人类最大的公害，它所造成的健康、生命、经济和社会的损失已是罄竹难书。据各国研究，每 1 元的烟税收入就有 1.2~1.4 元的相应损失，因此，如果有 2000 亿元的烟税收入就意味着 2400~2800 亿元的损失。单就巨额经济损失而言，尽管让人痛心，但终究是有限的。而吸烟带来的疾病、痛苦、早死、精神折磨、生离死别则不仅无法统计而且真正叫人心碎。英国著名流行病学家皮托博士指出：中国现有 20 岁以下人口 5 亿，按现在的吸烟率，将有 2 亿人成为烟民，其中 5000 万人将提前死于吸烟导致的相关疾病，这数字接近两次世界大战死亡人数的总和。5000 万人早病早死，多么触目惊心！

正如一位德国科学家在抨击某西方大国向非洲、亚洲穷国出口香烟时说："向穷国出口死亡，是世界级罪犯。"因该国政府在国内号召百姓为了健康不吸烟，使人群吸烟率年年下降，但却向烟草公司大量补贴，鼓励其向穷国经销香烟，使穷国更穷，穷人死得更早，富国赚回了金钱，出口了死亡。

一位跨国烟草公司总裁说得很坦率：我们生产香烟，但不吸烟，香烟是为穷人、愚昧的人、无知的人生产的。一位为烟草公司做巨型广告的酷哥牛仔51岁时死于肺癌，临死前良心发现，声泪俱下向世人痛彻忏悔：我为烟草公司做了一辈子广告，我害了自己也害了大家，我后悔。我劝你们：为香烟花钱，不值得；为香烟去死，更不值得。我劝你们不要吸烟。

## 一项历经两年的绝密研究

经过两年多的独立的、绝密的、不受任何外来干扰的研究，结论是："吸烟有害健康。吸烟是导致肺癌、肺气肿、冠心病的重要独立危险因素，吸烟缩短寿命。"

下面的一段历史小故事相信有助于人们对烟草危害的认识。1962年，当时全世界还不知道吸烟有害，英国皇家科学院发表了一份报告首先提出：吸烟有害健康。在当时这是很大的震惊。在一次记者招待会上，有记者问肯尼迪："总统先生，您同意英国皇家医学会发表的吸烟有害健康的文章吗？您的医学顾问同意不同意？如果同意的话政府准备采取什么措施？"这个问题很尖锐，肯尼迪当时想了一下说："现在股市行情低迷，这个问题很敏感，等我一个星期以后回答你。"他回去后立即让卫生总监召集全国最有名望的科学家成立专门的委员会，认真对吸烟问题进行独立的专家研究，以确定吸烟是否有害。

为了表示研究是非常科学、客观、公正、不带任何偏见的，科学家名单由官方科研机构拟完后，需经烟草公司同意方可确认。在全国有威望的150位科学家中，经反复遴选，选出了11位最佳人选。在最后审查中，烟草公司提出组长克里高不合格，因为他两年前曾在一次集会中说过吸烟有害健康，说明他对吸烟已有偏见，必须剔除，最后10位科学家都同意了。经过两年多的独立的、绝密的、不受任何外来干扰的研究，其间资料的传递规格都按军事绝密文件处理。最后的研究结果将在权威的美国华盛顿国会大厅宣布。结论终于出来了，但不敢在星期五宣布，因为怕引起股市波动，精心选择在星期六，因为这时股市已关闭。宣布时，全场凝神屏息、鸦雀无声——"吸烟有害健康。吸烟是导致肺癌、肺气肿、冠心病的重要独立危险因素，吸烟缩短寿命。"此后30多年来进行的6万余项科研都同样证明了吸烟有害健康。因此，烟草的危害是确凿无疑的，绝非危言耸听。

## 一分钟戒了37年的烟瘾

*知道吸烟有害者占95%，但愿意戒烟者则为50%。而戒烟成功者仅为5%。*

但戒烟又很难，有人说是难于上青天。一项调查表明：吸烟者中，知道吸烟有害者占95%，但愿意戒烟者则为50%。而戒烟成功者仅为5%。其落差之大说明了当今戒烟的难度。1984 年我国 50 万人吸烟调查报告显示我国戒烟率仅为 3.85%，其结果与上述调查相近。

与肥胖不同，肥胖者中知道肥胖有害与愿意减肥、减肥成功者之间的人数落差很小，因为人们认为肥胖不美，而吸烟被青少年认为是成熟和帅。

但更重要的原因是许多人不相信吸烟有这么大的危害。他们认为吸烟的危害是医生们的夸大宣传而已，从思想上不予理会，等到发现肺癌、冠心病时，后悔已晚。

在我从医 40 余年中，一位肺癌病人临死前求救的眼光、求生的渴望给了我刻骨铭心的记忆。这是一位干部，24 岁开始吸烟，已有 37 年烟龄，越吸越多，一天两包。你说吸烟害人害己，他说吸烟利国利民；你说吸烟导致癌症、肺气肿、冠心病三大害处，他说吸烟健脑、安神，有利人际交往，夏天防蚊、省装防盗门五大好处。爱人与他讲理，劝说、吵架、打架都一概无效。他最后说：香烟就是我的命，我宁可戒饭也决不戒烟。看来，真是没有办法了。

但奇迹出现了，突然间，他 1 分钟之内就把 37 年的烟瘾给戒了，什么原因呢？一张 CT 片上显示他已经是晚期肺癌转移了。眼前多美好的世界，但流水落花春去也！在以后 3 个月的日子里，他惋惜、后悔、痛苦、自责、恐惧，但一切都无用了，死神一天天走近，噩梦一天天增多。有一天他用很真诚的眼光，很虔诚的口气对我说："大夫，求求你，救救我吧，救救我吧！我还想活，我不想死。昨天夜里，我梦见一个很可怕的魔鬼，两眼凶光像刀子一样，伸出尖爪直掏我的心脏，我吓醒后一身冷汗，你救救我吧！"手术化疗都没能救他，我的心也像刀扎的一样剧痛，我想，任何人只要看一看他的眼睛，接触一下他临走前求救的眼神，任何一个人，只要是有理性，爱自己也爱家人的人，就再也不会吸烟了。

同样是一分钟就戒烟的人还有，那就是列宁。列宁青年时也是吸烟者，一天他妈对他说：家里这么穷，我辛辛苦苦好不容易给别人洗衣换来的钱都被你抽烟抽掉了。列宁听后，二话不说，当即把吸剩下的烟扔到地上，一脚踩灭说："妈，我不吸烟了。"从此列宁终生不吸烟。

因此，戒烟也很容易。悟性高，说戒就戒；悟性低，千说万劝也不戒，但死神一露面，不说也自动一分钟就戒了。

# 女人是戒烟大军的关键力量

吸烟者家中儿童呼吸感染及哮喘发病率都较高。他们上学时，数学计算能力、记忆力、思维能力均不如其他儿童。吸烟者的妻子肺癌患病率高一倍，患乳腺癌的人也增多。

女人的教育和女人在社会生活中的地位与作用应大力加强和重视。西方有句谚语："摇摇篮的手管理着世界。"中国也有句俗语："每个成功男人的后面都有一个女人。"都说明了同样的意思。

美国前第一夫人希拉克早在克林顿任阿肯色州州长时，首创在州长官邸禁止吸烟。克林顿入主白宫后，她宣布说："健康是第一财富。健康对每个人都是最重要的，我不准任何人在白宫吸烟。"从此，白宫结束了200年有烟的历史。一位巾帼以自己的勇气和智慧让白宫无烟，捍卫了自己、孩子、家人的健康，这也说明了女性在家庭健康中的关键作用。

在男人戒烟的众多原因中，因病而戒烟的均属较年长者。有启发意义的是：妻子劝说丈夫戒烟成功者比父亲加母亲的联合力量还大一倍，足见"妻管严"的威力。这是一个好现象。妇女不仅是健康教育、戒烟运动的生力军，还是家庭和整个社会的重要力量，远超过半边天。

一个健康家庭应当是无烟家庭，因为，吸烟者的家空气是污浊的，二手烟即被动吸烟，危害尤其大。研究表明：吸烟者家中儿童呼吸感染及哮喘发病率都较高。他们上学时，数学计算能力、记忆力、思维能力均不如其他儿童。更重要的是，吸烟者的妻子肺癌患病率高一倍，患乳腺癌的人也增多。

据 1984 年我国对 50 万吸烟人的抽样调查，男性吸烟率为 61%，女性为 7%，全国平均为 33.8%，属中高水平。但与西方国家不同的是，我国女性吸烟率较低，这对督促男性戒烟以及创建"无烟家庭"更有帮助。

# 控烟的关键：教育青少年

**控烟的根本出路在于教育儿童、青少年从小不吸烟，使烟民后继无人。**

从人群吸烟的角度看，控烟的根本出路在于教育儿童、青少年从小不吸烟，使烟民后继无人。一项研究表明：对小学四年级学生一次生动的控烟宣传后，他们的日记和作文中，个个天真而又义愤填膺地表示：要和烟草作坚决斗争，不仅自己长大后决不吸烟，而且要加入到控烟的队伍，决不允许香烟再害人。有这样可爱的青少年，不需要太长，只要两代人，我们的世界就将是一个阳光明媚、清洁无烟的世界。

## 每天限 5 根，不妨试试看

*被动戒烟，戒烟以后，好的效果不明显，甚至于得癌症更多，死得更快了。*

戒烟分两种类型，一种是主动戒烟，病人高高兴兴、真心诚意、心甘情愿、主动戒烟；另一种是被动戒烟，戒烟以后，好的效果不明显，甚至于得癌症更多，死得更快了。为什么？是不是因为抽惯了烟，一戒掉，不习惯，就得病了呢？当然不是。主要原因在于他是被动戒烟，是被迫的、窝囊的戒烟，不是心甘情愿的，所以在情绪上、心理上都是抵触的，郁闷的，效果自然不好。

吸烟的害处已举世公认，越早戒越好。如果一时戒不掉，可以把每天的吸烟量限制在 5 根以内，这样吸烟的危险度就会小一些。需要提醒的是，患心肌梗死的人吸烟量更要减少，干脆不吸最好。

## 风行世界的"五日戒烟法"

*各国已有 2000 余万人用此法戒烟，平均戒烟达 37.4%。*

在国际上风行的"五日戒烟法"，经我国引进后试用也取得了良好的效果。自 1959 年提出至今，各国已有 2000 余万人用此法戒烟，平均戒烟达 37.4%。

"五日戒烟法"采取集体施教，每日授课1小时，座谈、知识讲座、行为矫正指导相结合，学习班结束后随访6个月评价效果。讲课中心的教师以幻灯、投影、座谈等方式帮助学员下定决心、树立恒心戒烟，示范腹式呼吸法，介绍正确的健康生活方式，发挥小组的集体力量，互相鼓励，共同度过"戒烟不知期"，走向成功。

学习过程有三个阶段：

生理准备。教授腹式呼吸，指导有氧体育运动和放松学习；回避所有能影响戒烟决心的药物与习惯；调整食物结构，增加饮水量，促进体内毒素的排出。

学习准备。思考吸烟利弊，权衡得失，掌握自我意识的控制能力，摸索一套没有香烟的健康生活模式，选择一个明确的日子突然彻底戒烟。实践证明，这对许多人来说都是一个可取的方法。充分了解戒烟中出现的症状是戒烟过程中不可避免的困难，是你身体建立新的平衡的信号。回吸只是发展中的一个曲折，而不是最终结果；对某些回吸信号积极采取措施，就可以保持戒烟成果。

社会准备。找对策回避烟友和吸烟环境；学着抵御烟草的诱惑；与不吸烟者交朋友；从朋友和家人处获得帮助，接受监督；经常发现戒烟在生活中的各种益处。

通过"五日戒烟法"，吸烟者会惊喜地发现自己身心各方面的变化，最大益处莫过于重新获得了自信、自尊、自爱以及对生活和自身的控制。许多人发自内心地说："我能控制自我，知道如何对待生活了。我摆脱了尼古丁。小烟卷，永远告别了！"

# 烟酒亲兄弟，并非一家人

**酒与医本是一家，烟则有百害无一利。**

人们常把烟酒混在一起谈，"烟酒不分家"，以为两者差不多，其实它们有本质的不同。

从历史上看，酒有 5000 余年历史，在文字出现以前，远古的岩画上已有酒具的图案，而烟是 15 世纪哥伦布发现美洲新大陆后带回欧洲的，吸烟的盛行只有 200 余年的历史。从地域上看，世界各古老民族都有自己传统的米酒、果酒，各具特色，五彩缤纷，而烟草则仅此一种，别无分号。从医学上看，酒有广泛的用途，酒与医本是一家，繁体汉字的"醫"的下半部分就是"酒"的意思，现代医院每天都离不开酒精。烟则有百害无一利。从文化上看，酒在各国都有丰富多彩、引人入胜的文化人文内涵，从帝王将相，才子佳人，风花雪月，情仇爱恨都有酒的故事，而烟则相形见绌，只能甘拜下风。酒的气质和品位是烟所无法比拟的。

# 饮酒文化，源远流长

**酒的消耗量是一些民族焦虑程度的指标。**

人是感情动物，有七情六欲，在内外环境压力下，人的感情需要有宣泄释放的途径。酒精的刺激、兴奋、释放和麻醉功能正符合人们的需要。心理人类学家维特·巴诺教授通过对美洲印第安人社群的研究发现，酒的消耗量是一些民族焦虑程度的指标，并认为适用于所有饮酒民族。

大凡人的种种郁闷忧伤，慷慨悲愤，兴奋激动，思念惆怅或亲人相逢，接风饯行，遣忧排愁，贺吉志喜，此时酒作为一种精神载体，其文化与疏导功能是任何其他东西所无法替代的。试想，世上还有什么能把人类的精神、心灵和感情如此酣畅淋漓地表现出来。

"明月几时有，把酒问青天"，"白日放歌须纵酒，青春作伴好还乡"；"人生得意须尽欢，莫使金樽空对月"；"烹羊宰牛且为乐，会须一饮三百杯"；"天生我材必有用，千金散尽还复来"；"葡萄美酒夜光杯，欲饮琵琶马上催"；"醉里挑灯看剑，梦回吹角连营"；"艰难苦恨繁双鬓，潦倒新停浊酒杯"。而"青梅煮酒论英雄"，"杯酒释兵权"，更是在杯酒之间演绎了惊心动魄的历史风云，成为中华民族的优秀文化组成因素。当然，其中也夹杂一些不良的"醉酒文化"："今朝有酒今朝醉"，"浩歌一曲酒千钟"，"酒醒还醉醉还醒"，使"酒杯是小，淹死的人比大海还多"，对社会有一定的负面影响。

## 天堂地狱，一步之遥

世界卫生组织改变了过去对酒精的看法，把"少量饮酒有益健康"的口号，改为"酒，越少越好"。

客观地说，酒是一种多情物，又是一把双刃剑。少量的酒是健康之友，

多量的酒则是罪魁祸首。

　　欧洲 20 个工业化国家的横向流行病研究表明：酒精的消耗量与冠心病的死亡率是逆相关。在前瞻性的流行病学研究中发现：在每天都少量饮酒的人群中，其高血压与冠心病的患病率和死亡率都较不饮酒者低。美国癌症学会对年龄在 40~59 岁的 28 万名男子的饮酒习惯进行了 12 年跟踪研究，发现适量饮酒（每天不超过 15~30 克酒精）的人其心脏病死亡率较不饮酒者低20%。加拿大蒙特利尔心脏病研究所的资料显示，适量饮酒可减少 40% 的冠心病发作。原因是适量酒精能升高血液中的高密度脂量白胆固醇，即"坏"的胆固醇，因而能减少动脉粥样硬化斑块的形成，这在猕猴的饮酒实验中也得到证实，饮葡萄酒组猕猴的动物粥样硬化发生率为 8%，而对照组为 48%。新近的研究发现，适度饮酒者体内 C-反应蛋白含量最低，表示酒精有一定的抗炎症作用，这也有利于减轻动脉粥样硬化的发生。美国大都会人寿保险公司的资料表明：适量饮酒者比滴酒不沾者更健康，而且平均预期寿命延长一岁。

　　但千万别忘了，酒是把双刃剑，酒量不是谦谦君子，只要过量，即只要一步之遥，酒立刻凶相毕露，把饮酒者送入地狱。在生理上，酒促使动脉粥样硬化斑块破裂，急性心肌梗死和猝死；在心理上造成酒精成瘾，依赖，人格变态；在伦理上造成道德沦丧，刑事犯罪，对个人、家庭和社会造成严重破坏，后果难以估量，而且实际上是愈演愈烈。尤其在当前中年多病，英年早逝的热点中起着推波助澜的作用。有鉴于此，世界卫生组织旗帜鲜明地提出了自己的新观点，它改变了过去对酒精的看法，把"少量饮酒有益健康"的口号改为"酒，越少越好"，因为少量饮酒的好处很容易被饮酒的巨大弊端所掩盖，也就是把"对酒当歌"改为"对酒莫歌"了。实际上，即使在以前认为少量饮酒有助预防冠心病的时候，世界卫生组织也从不提倡以少量饮酒作为预防冠心病的方法，为的是防止酗酒的巨大社会负面作用。

## 酗酒之害，触目惊心

当血中酒精浓度为 40mg% 时，饮者表现如孔雀；当浓度为 80mg% 时，表现如狮子；当浓度为 120mg% 时，表现如猴子；当浓度在 160mg%～200mg% 以上时，表现如蠢猪；酒精浓度再高，可导致昏迷，深度麻醉，直至死亡。

只要想一想监狱里罪犯的 50%，交通事故的 40% 和医院重病人的 25% 都与酗酒有关，而这意味着数以千万计的人，数以百万计的家庭和无数痛苦悔恨都与酗酒有关，就会使人不寒而栗，更不用说许多人们耳熟能详的名人精英因急性心肌猝死、肝硬化、肝癌而猝然离世，那么酗酒意味着什么就更使人痛心了。

我的一位美国医生朋友，其父是里根总统高级幕僚，从哈佛大学医学院毕业不久，一次周末欢宴，年轻气盛，酒后驾车，在高速路上，汽车冲出护栏 100 余米，粉身碎骨，令人痛彻肺腑，刻骨铭心。

酒精很容易吸收，空腹时在胃内可迅速直接吸收 20%，数分钟内使人酒醉，如胃内有食物，尤其是淀粉类食物可明显延缓吸收，避免醉酒。酒精吸收后由肝细胞中乙醇脱氢酶及乙醛脱氢酶依次分解，由于酶的活性差异，故酒量也因人而异。但差异不会很大，不像某些毒品差异达数十倍之多，因而酒喝多就一定会醉。不久前俄罗斯一次饮酒比赛，冠军喝了1.5公斤伏特加，回家后20分钟死亡，其余5名获奖者也全都送入医院抢救，饮酒比赛组织者也以"谋杀罪"被告上法庭。

饮酒后，随着血中酒精浓度上升，神经精神系统产生不同反应，有位学者精辟地描述：起初时，当血中酒精浓度为20mg%时饮者心情好、精神爽，有欢快感，是饮酒后的最佳状态。当酒精浓度为40mg%时，饮者表现如孔雀，愉快而健谈，思维敏捷，乐而忘忧，好展示炫耀自己；当浓度为80mg%时，表现如狮子，精神亢奋，自高自大，语言傲慢，科长说成处长，刚愎自用，略有微醉（按交通法规定，50mg%即为酒后驾车，100mg%为醉酒驾车）；当浓度为120mg%时，表现如猴子，自控力减弱，行为古怪，作弄戏谑，什么话都敢说，什么事都敢做，是酒后误事期；当浓度在160mg%~200mg%以上时，表现如蠢猪，思维紊乱，步履蹒跚，反应迟钝，语无伦次，有的开始蒙眬倦睡，渐入昏睡。酒精浓度再高，可导致昏迷，深度麻醉，直至死亡。戴安娜王妃车祸时，其司机血中酒精浓度已超过第四个阶段，属醉酒驾车。某影星车祸死亡之时，血中酒精浓度为205mg%。

# 何以解忧，唯有交流

实践证明，对酒当歌，以杜康浇愁只能是愁上添愁，成事不足，败事有余。

"对酒当歌，人生几何。譬如朝露，去日苦多。

慨当以慷，忧思难忘。何以解忧，唯有杜康。"

曹操的千古名句，读来让人荡气回肠。但从现代心理学角度看，何以解忧，应当是"唯有交流"。

怎么交流？用语言，用心灵交流。

与谁交流呢？与人交流，友人，亲人，爱人；与书交流，小说，历史，励志书；与自然交流，阳光，空气，水，名山大川，名胜古迹。

实践证明，对酒当歌，以杜康浇愁只能是愁上添愁，成事不足，败事有余。而与人的心灵交流，所有的忧愁烦恼，抑郁苦闷都能在春风化雨般的心灵抚慰，涓涓流水般的心灵滋养中化解。尤其是夫妻间的话聊、牵手和爱窝，其伟大力量是世上任何美酒佳酿、名珠宝玉所无法比拟的。

书是知识的源泉，进步的阶梯，智慧的钥匙，有书做朋友，你就是最幸福的人了，"读书静坐，各得半日；清风明月，不用一钱"。

大自然是人类的母亲，人类是大自然的儿女。回归母亲的怀抱，接受阳光，空气，水的洗礼，看看神奇的造化，秀美的山川，你的心灵会净化，人格会升华，会有一种对自然的敬畏和感悟，"念天地之悠悠"，"感吾生之须臾"，还有什么想不开的呢？

# 四大基石之心理平衡

健康的第四大基石——心理平衡。它是我们健康最重要的方面。人要健康，最为关键的是心理健康，心态好。

## 爱生气，死得快

因工作等构成心理压力的，知识分子比非知识分子高出10%，35岁以上人群则更为突出。

人们要想健康100岁，四大基石中的第四条，心理平衡的作用占50%以上，合理膳食占25%，其他占25%。心理平衡对身体健康是最重要的。谁能保持心态平衡就等于掌握了身体健康的金钥匙。得了病没关系，现在的科技发展水平，什么糖尿病、高血压、心脏病等都有很好的预防方法和药啊。但是，如果心态不好，爱着急、爱生气、没事找事、没气找气，整天跟自己过不去，这样的人死得最快。

根据北京市疾病预防控制中心健康教育所在2003年的一项调查显示，因工作等构成心理压力的，知识分子比非知识分子高出10%，35岁以上人群则更为突出。知识分子由于价值不能实现的失落感所造成的心理问题导致身体患病，这在医学上被称作心理问题的躯体化症状。脑力劳动者由于工作压力大，影响正常的内分泌，影响睡眠和食欲，在这些人群中服用安眠药的比例高，高血压、颈椎病、糖尿病、心血管疾病的发病率较一般人群为高。人情绪不好就容易感冒，而长期抑郁则容易患癌症。所以，如何做到心理健康对知识分子来说，更是至关重要的。

人生在世，谁都会遇到无数的困难、压力，前面我们已经讲过要学会自我解压。而在这，我主要讲的是如何保持一颗平常心，如何达到心理平衡，使自己的心态更加平稳。

现在是一个竞争十分激烈的时代，一个人从呱呱坠地的那天起，就要不断地学习适应环境的无数本领：上小学，要面临考中学，光考上不行，还得考重点中学；上了中学还没完事，还得继续努力考大学，当然了，最好是重点大学。我们都是从学生时代过来的人，学生时代的压力都不用细说。好不容易上了大学了，可面对着现在就业形势的严峻，找个工作太困难了。算了，咬咬牙，再考个硕士吧，这就又得在众多的"高人"中保持"平衡"，挤过那座又窄又漫长的独木桥。这时，如果再想就业可能压力就会小一些了。可是真正工作了又会发现能人这么多，想要立于不败之地就得付出更多的艰辛。慢慢地，工作走上了正轨，才又发现周围的人有房有车，自己却什么也没有，心理又不平衡了。怎么办？当然是要更加努力了。于是，路就这么漫长……

每个人几乎都是在自己成长的同时，不断地与周围人进行横向、纵向的比较，一旦自己在比较中处于劣势时，心理就会产生不平衡感，压力也就陡然而生。于是就要靠自己的努力来达成一个又一个欲望。当然，这种追求上进的精神我们提倡，但我在这要说的是要有个度的问题。人活在世上，欲望是永无止境的，我们不可能实现所有的愿望，这时就要我们学会放弃，进而摆脱失望后的心理不平衡，避免压力对我们的身心产生各种各样的损害。

还值得一提的是，心理压力是很多疾病的根源。因此，心理平衡、心态好的作用可以超过其他一切保健作用的总和。有了心理平衡，才能有生理平衡；有了生理平衡，人体的各个系统才会处于最佳的协调状态，一切疾病都能减少。但心理平衡并非心如枯井，更不是麻木不仁；心理平衡是一种理性的平衡，是人格升华和心灵净化后的崇高境界，是宽宏、远见和睿智的结晶。

# 看棋支招气死人

**输棋的人没事，看棋的倒先给气死了。**

《北京晚报》曾经让我点评一个案例，说是有一个人，晚上吃完饭，到外面散步，看马路对面有人下棋，他就过去给人支招。但下棋的人不听他的，他很生气，我给你支招，你还不理我。生气，继续看着，越看越着急，下棋的人啊棋下得很臭，越下越输，他替他着急啊，眼看要输了，他又支招，那位还是不听，他是气上加气。当时围观的人挺多，大家发现给人支招的人脸色越来越难看，突然面部肌肉一阵痉挛，身体一歪倒在地上，送到医院，一检查没气了，死了。结果输棋的人没事，看棋的倒先给气死了。下棋的人，棋艺水平不高，但心理素质好，而看棋这位，棋下得好，但心理素质很差，所以，被气死了。

# 老两口斗嘴，差点要人命

打一针药，0.1 克，15000 元。

我们科里曾有一个病人，已经快出院了，他老伴星期六来探视，老太太挺好，又带香蕉又带苹果，但老太太多说了一句话，差点要了老头一条命。什么话呢？老太太说，昨晚的《新闻联播》你看了吗？老头说我看了。老太太说，罗马尼亚的齐奥赛斯库被枪毙了。老头说不该被枪毙，政治斗争怎么能随便要人命呢？老太太说，该枪毙，一定是他做错了什么事。老头说，不该。老太太说，活该。这俩人为齐奥赛斯库该不该被枪毙争论起来了。你说齐奥赛斯库枪毙碍你们俩什么事了？你们俩认识他吗？也不认识，他更不认识你们俩啊！

几分钟以后，老头开始胸口痛、脸色苍白、满头大汗、四肢冰凉，赶紧叫来医生一看，不好，做心电图，S-T 段抬高，心肌梗死，赶紧抢救，打一针药，0.1 克，15000 元。

因抢救及时，老头转危为安。出院的那天，老太太非常感激，给我们送大锦旗，写着"救命之恩，终身难忘"。老太太还当场表态，这次，我可知道生气的厉害了，我保证，以后啊不管什么齐奥赛斯库不齐奥赛斯库，爱枪毙不枪毙。以后老头说什么我就听什么。本来他们家里啊，老太太地位高，老头地位低，北京话叫"妻管严"，这回老头涨行市了，老头说什么，老太太听什么，老头还因祸得福了。

# 生气着急易猝死

北京 200 多个猝死病人，50%的人 24 小时内生气着急情绪低落，25%的人死以前半小时内着急生气喝酒，18%的人死亡发生在 30 秒钟之内。

生气着急对身体的影响是很大的。美国有一个报道，说一个人 53 岁，下班回家，一开门啊，儿子跟妻子正吵架，哎哟，现在美国年轻人，脾气很暴，中学生出门都带手枪，儿子跟他妈吵架生气，伸手先掏手枪想一枪把他妈打死，一摸枪没带，看见桌上有把水果刀，就抄起刀，一刀从他妈心脏捅过去，扎穿腔壁，捅破心脏，他妈当时带着这把刀子惨叫一声倒下了，死了。他爸当时一看，一阵痉挛，也倒下死了。法医来解剖，什么原因呢？一解剖啊，这个人没有病，因为高度恐惧导致三根动脉血管高度痉挛狭窄，严重供血不足而死亡。

我们调查过北京 200 多个猝死病人，其中，50%的人 24 小时内生气着急情绪低落，25%的人死以前半小时内着急生气喝酒，18%的人死亡发生在 30 秒钟之内。猝死是很快很快的。

# 心理暗示力量大

人群中约有 1/3 的人有较强的暗示和自我暗示效应，他们容易无条件、非理性地接受一些观念和说法。

古代有个谜语说：它不是蜜，可是比蜜还甜；它不是毒药，可是比毒药还毒，它不是花比花还美，它不是剑但是比剑还锋利。它是什么呢？

它就是语言。语言不是蜜，可是比蜜还甜，花言巧语、甜言蜜语，绝对比蜜还甜，比蜜还有吸引力，比蜜还有魅力。各位要是不信？你看看年轻人搞对象。只要小伙子会甜言蜜语、花言巧语，女孩子准是个个上当。语言啊比毒药还毒，"四人帮"一句话把老革命变成了反革命。它比剑还锋利，剑算什么？身上拉一刀，中了一剑，没关系，缝起来，一个礼拜就可以拆线，好了。语言伤害人啊，甭说一个礼拜，一辈子也好不了。因为心理的暗示太重要了，暗示作用是我们一个正常的心理现象，人群中约有1/3的人有较强的暗示和自我暗示效应，他们容易无条件、非理性地接受一些观念和说法。

做个实验：小学生上课，老师拿两个瓶子，一瓶红药水说是香精，一瓶蓝药水说是臭精。老师打开红药水，对同学说："非常香，玫瑰香，谁闻到香味的举手，闻不到不举手。""老师，我闻到了。""什么香？""玫瑰香。""哟，我也闻到了，确实是香。"不到3分钟，最后一个也闻到香了，一点数啊，1/3人举手，说闻到香了，还有2/3人没有举手。好，把瓶子盖上，老师又把臭精打开。"奇臭啊！"边说边跑开。"啊，老师我也闻到了，臭极了。"老师对学生说："闻到臭的请举手，没闻到的不举。"学生一个一个地闻，有的人感到奇怪："老师，我们可没有闻到臭味。""没关系，闻到的举手，没闻到的不举手。"最后一点数，40%都举手，60%没有举手。现在排好队，一个一个来仔仔细细地闻，究竟是什么味道。结果一闻，啊，什么香精啊，一点味道也没有，就是有点颜料。再闻闻那个臭的。哎，什么臭精啊，一点味儿都没有，只不过在水里加了些颜料而已。那问题就来了，为什么老师说香，同学们就真的觉得香；老师说臭，他就真的感觉臭？这就是暗示的作用。

再比如，医生发药给病人吃。"今天我给大家发的药，是美国最好的，半边红，半边白。这个药吃下去以后睡眠好，头不痛，血压下降。"病人吃后复查，反映说："大夫，我吃了这个药，还真好，头也不疼了，睡觉也好了，一量血压还真正常了。"其实，这药里面放的是淀粉。这就是暗示作用。我们北京早上花园里，很多人练功，有个很奇怪的现象：凡是练香功的啊，个个觉得香；凡是练臭功的啊，个个觉得臭。各位，其实啊香功不香，臭功也不臭。您告诉他这叫香功，他越练越香，你告诉他这叫臭功，他就越练越臭。我呢，不练功，但我研究过练功，我一研究就发现问题了。教功的人说："我今天教大家的香功是祖传的，这个功啊是越练越香，心越诚越香。我练了好几代，大家都是说香，不信，我练给你们看啊，这就开始表演了。你们觉得香不香?"底下有人说香，有人就叨咕："奇怪啊，我这怎么一点味都没有啊!""没关系，别灰心，继续练，越练越香，心诚就香。"又练了半天，教功的人又问："你们觉得香不香啊?"好多人说"香!"有人想，哎，奇怪，我怎么闻不到香，人家都说香，我没闻到，想必是我的鼻子有点问题。他就到处闻，哎，好像有点香了。做完了，教功人第3次问："香不香啊?"大家都说："香!"影响越来越大，你想说不香都不成了，人家都说香，你说不香，那只能证明你有病啊，你只能说香啊! 这个暗示的作用真是大得不得了。

# 心态若不好，蚊子也要命

*幸亏屋里只有一只蚊子，要是两只，你准死。*

　　有的人为了一点小事，气得脑溢血，可有的人天大的事，都若无其事。像我一位朋友从加拿大回来度假，挺好。晚上正准备睡觉，突然发现一个蚊子"嗡嗡嗡"地叫，很生气。五星级宾馆怎么能有蚊子？不行，起来就打，生气啊！打半天没打着，打到12点，心里暗暗一狠：下定决心，不怕牺牲，一定要把蚊子打死。打到两点多钟，也没打着，结果4点钟终于把蚊子打死了。可以睡觉了吧，不行，还要躺着静听半小时，看看有没有第二只蚊子。听了半天，一点声音也没有，这下可以踏实睡了吧，结果六点半就醒了，醒来一下地啊，差点摔一个大跟头，头重脚轻。怎么？折腾一宿血压高起来，差点摔跟头，一测血压不得了，昨天血压122，结果今天血压196了。

　　在加拿大，医生告诉他：血压突然增高，药量可以加倍。赶紧加倍吃药吧，不行；吃4倍，还不行；干脆吃8倍，总可以了吧！还不行，不敢再吃了，怕出问题。赶紧打120，急诊车刚开到医院门口，车还没有停住，他鼻子突然一股血喷出来，赶紧捏住，动脉破了，用棉花塞不住，后来耳鼻科大夫用纱布塞得满满的，血止住了。大夫说，今天你算幸运，破的是鼻子里的动脉，要是脑动脉破了，你可就完了。

　　后来他到北京找我看病，我告诉他，那回啊，你可是真够运气好！我跟你说吧，幸亏屋里只有一只蚊子，要是两只，你准死。你看看，有一只蚊子你血压升到196，要是两只蚊子你还不升到230呢?！你看看人家张学良，32

岁任国民革命军副总司令，地位仅次于蒋介石。36 岁阶下囚，从天上掉地下，从天堂落到地狱，多么大的打击。张学良血压不高，如果张学良心胸像你这样的呀，跟你说吧，10 个张学良都死透了，哪还能活到 101 岁呀！

## 晚期癌症患者，走上冠军奖台

她是世界女子滑板锦标赛冠军。但很少有人知道，她曾是一个晚期癌症患者，经历过 6 次化疗，12 次手术。

有一个法国女孩，26 岁，得了子宫癌，卵巢转移，做手术切除，不久另一个卵巢也转移，又做了切除手术，结肠转移了，肠子又给切除了，又开始做化疗，化疗下来头发彻底掉光了。结果这转移开一刀，那转移开一刀，3 年里开了 12 次刀。医生说，你每次手术都打麻药，对身体不好，以后少打麻药，于是她就坚持不打麻药。不打麻药可疼极了，3 年下来，在医院里，除了痛苦没有别的。

这时，她想到了死，上吊、跳楼，该怎么死呢？有一个朋友来看她，就开导她说，你生活里就没有让你高兴的事吗？这样一说，提醒了女孩，高兴的事？3 年前，我在海边滑水给我留下了很深的印象，阳光明媚，海风和畅，海鸥不断地在水上飞来飞去，人和大海、自然融合在一起，那个下午是我一生中最愉快的一天。与其坐着等死，我还不如去海边再滑滑水呢。

于是她又来到海边，可下水一滑就倒下了，得病 3 年，身体太虚弱了。女孩对自己说，我一定要站起来，于是她就让自己多吃东西，开始锻炼，两个半月，能走路了。再过两个月，能滑水了，她就每天都跑到海边去滑水。在海边还遇到了一个小伙子，长得挺好，在一起久了就成了恋人。他们一起在海边练了两年。

这期间医院不断寄来通知书，告诉她该做复查了，女孩不理这些，她想我去了不是开刀就是化疗，我永远不进医院了。后来她的恋人劝她说，这么长时间了，你还是回去看一看吧。到医院一检查，医生们都说，不得了，奇迹，一切化验指标都正常，你的身体从来没有像现在这样好过！

女孩又回到海边训练滑水，两年后，她参加了世界女子滑板锦标赛，获得了冠军。当她站在世界冠军的领奖台上，抱着金杯的时候，神采飞扬，容光焕发。很少有人知道，她曾是一个晚期癌症患者，经历过 6 次化疗，12 次手术啊。

很多很重很重的病人，靠着健康的心态，战胜了病魔，可见心理因素对人的影响有多大。

## 看天安门救了一个"肝癌患者"

大夫三句话，病人不到 24 小时就死了。第一句话，你来晚了；第二句，你这病没有治了；第三句，你早干什么来着？

东北有个人肝区痛，去做 B 超，B 超大夫自言自语，哎哟，7 厘米的肝癌，已经转移了。他一听，肝癌转移了！当时脸色苍白，下来穿衣服只穿了一半，浑身发颤，哎哟，全身无力，就摔在地上了，好不容易回到家里，心里想着，儿子才 8 岁，爱人还年轻，我死了，儿子怎么办啊，爱人怎么办啊！

第二天起来感觉更疼了，到单位医务室去看病。大夫说，哎呀，你这个人真是命苦，怎么 38 岁的人得了癌症啊，我们也爱莫能助。不过，我倒有一招，你就想一想，平常你喜欢吃什么东西啊，抓紧时间去吃，喜欢玩什么，抓紧时间去玩吧，反正也活不长了。听了这番话，一回到家以后啊，卧床 40 天，瘦了 20 多斤，皮包骨头了。工会主席知道了，带着点心、水果来看他，说我这回来啊，是代表领导的关心，知道你也活不长了，你看吧，你最后还有什么要求没有？有要求你就直说吧，我们一定尽力帮助你。他一听啊，痛哭流涕，说：我一辈子最大的遗憾啊，就是没有见过北京天安门，我要是能看看天安门再死，死而无憾。工会主席一想，你思想还挺进步，这行，那就破例给你报销路费吧。但是人已经皮包骨头，起不了床了，怎么去啊？没关系，我们找 4 个壮小伙子抬着担架，送你坐火车去看天安门。

看见了天安门，有人说既然到了北京，北京有好医院好大夫，看看还有什么办法治没有。另一个人说，肝癌晚期说死就死，万一死在北京，多不好，快回去吧。另一位又说，反正也来了，看看吧。去了医院，正好那天专家出诊，教授亲自做 B 超，一做完，大夫说，下来吧，你放心，你没有病。病人不信，啊？我都疼得快死了，怎么没病呢？大夫说，你是误诊肝癌，给吓的。吓怎么能吓得这么厉害呢？大夫说，我告诉你吧，吓，就是这么厉害。我见得多了，很多人没有病，早上一诊断癌症，下午就不成了，精神崩溃了。你这个病啊，先天性肝囊肿 7 厘米，根本就是良性的，正常人都会有，你放心，我一辈子做 B 超，我对你的诊断有绝对的把握，不信我给你开证明，我敢开证明，我敢负责任。

这一解释啊，清楚了！几个小伙子真是又喜又悲啊，喜什么呢，我们这回来北京呢，没有白来，救你一命啊！悲什么呢，我们可太倒霉了，从东北千里迢迢把你抬到北京来，竟然你没有病啊你。担架一撤，我们不抬你了，没有病你就自己走吧，担架留给医院做纪念。回去以后，这个人又能吃，又能喝，又能睡，什么事儿也没有了。其实这小伙子本来没有什么病，就是因为误诊了，精神垮了。幸好小伙子脑子活，想看天安门，要是不想看天安门啊，他可能早变骨灰了！

我们医院曾发生一次事故，大夫三句话，病人不到24小时就死了。第一句话，你来晚了；第二句，你这病没有治了；第三句，你早干什么来着？病人满心希望，被一盆凉水泼了。上午11点来看的病，下午4点多就嘴唇发紫，入住急诊科，半夜两点就死了。所以说，语言作用啊，非常非常大。古语说：良言一句三冬暖，恶语伤人六月寒。你讲一句好话，数九寒冬浑身暖洋洋的；你讲一句坏话，三伏天浑身冰凉。一点不假，所以，医学之父希波克拉底说过：医生有三大法宝：第一语言，第二药物，第三手术刀。医生的语言跟手术刀是一样的，可以救人，也可以杀人。

# 生活像镜子，你笑它也笑

世上就两种人：一种人用乐观的、积极的、正面的态度看世界。天天都健康，天天都高兴，天天都是"春风桃李花开日"。另一种人用悲观的、消极的、负面的观点看世界，天天都是凄风苦雨，天天都是"秋雨梧桐叶落时"。

心理不平衡能引出这么多乱子来，严重影响我们的生命健康和生活质量，我们该如何把握呢？

一位哲学家讲过：生活像镜子，你笑它也笑，你哭它也哭。什么叫幸福？幸福没有固定标准，幸福是一种感觉，而且幸福感跟金钱无关，甚至相反，因为它是一种感觉。

最近一个经济学家，他利用心理问题研究经济学，最后得了诺贝尔奖。他举了个例子，一个人之前生活很幸福，很快乐，有一天，他参加了一个同学聚会，发现有同学比他挣的钱多，比他的房子大，他的幸福感立刻消失，心里很难受；相反他跟穷人比，马上高兴起来。本来啊，世上就两种人：一种人用乐观的、积极的、正面的态度看世界。天天都健康，天天都高兴，天天都是"春风桃李花开日"。另一种人用悲观的、消极的、负面的观点看世界，天天都是凄风苦雨，天天都是"秋雨梧桐叶落时"。本来是一样的，您从不同角度去比，结论完全不一样，有人为没有鞋，痛苦极了，天天哭，人家有鞋，我没鞋。后来再看邻居孩子，人家连腿都没有。哎呀，我可太幸福了，我是没有鞋，他连腿都没有，他还那么用功，学习那么好。这个就看你怎么比，实际上，人的人生态度是完全不一样的，一种乐观，一种悲观。不同的人生态度，绝对会影响你不同的人生未来。

# "三自一包"，百岁不老

自己关爱自己。自己教育自己。自己解放自己。一包"养心八珍汤"：慈爱心一片，好肚肠二寸，正气三分，宽容四钱，孝顺常想，老实适量，奉献不拘，回报不求。

健康如此重要，我们自己能做些什么呢？要想健康快乐100岁，简单说就一句话：三自一包，百岁不老。

什么叫三自一包呢？

第一，自己关爱自己。首先要自己爱自己，不爱自己，暴饮暴食、大吃大喝、抽烟、酗酒、赌博，就是自己跟自己较劲，你大悲、大惊、大恐，这样下去寿命肯定长不了。

第二，自己教育自己。世界卫生组织提出用科学知识来武装自己，像很多健康方面的书籍，都应该有机会去学习。

第三，自己解放自己。

自己解放自己就是要学会自我解压，学会笑对人生。

有些人一得病就疑神疑鬼，自找麻烦，自我加压；一遇到不顺心的事就死钻牛角尖，怎么也出不来。这样的人，每天都是生活在极大的压力之下，怎么可能会快乐呢？

有一位离休的局长找我看病，我跟他说：老局长，您的脑出血真是白得的。他不解，怎么是白得的呢？事情是这样的，那天，他要去办事，找机关要车，结果，车晚到了5分钟，他很生气；再一看，来的车不是原来的奥迪，而是一辆桑塔纳，他更生气，结果一下子突发脑出血，还好算抢救过来了。我跟那位局长说，要是换了我，绝不会得脑出血。为什么？您要想开了呀，你现在退下来了，时间有的是，别说是晚了 5 分钟，晚 10 分钟也没什么关系，别说派一辆桑塔纳，就是夏利，我觉得也挺好。奥迪是给现任局长用了，您就不用着急了。还算万幸，局长抢救及时，您要真死了，中国的局长多的是，中国统计人口也还是 13 亿，一个也少不了，倒是您家少一口人是真的。

俗话说，人生在世，不如意事十之八九，这就要我们学会自我调节，自我解压，自己解放自己。毛泽东同志说得好："自信人生两百年，会当水击三千里。"

我这里所说的"一包"就是指"养心八珍汤"。中华民族五千年的文化，博大精深，源远流长。最精彩之一就是一副养心八珍汤，八味"药"，天天喝，早晚喝，让大家天天心情舒畅，健康快乐 100 岁。哪八味呢？慈爱心一片，好肚肠二寸，正气三分，宽容四钱，孝顺常想，老实适量，奉献不拘，回报不求。

慈爱心一片。做人最重要的，是要有爱心。邓小平同志讲：我深情地爱着我的祖国。作家冰心说过："有了爱，就有了一切。"如果一个人没有爱心，我们千万不要跟他交朋友，没有爱心的人啊，父子仇杀，夫妻残杀，兄弟反目。

好肚肠二寸。好人会有好报，你对人善别人对你善，你对人恶别人也会对你恶。我们说身体健康需要维生素，心理健康要不要维生素呢？也要维生素，善良就是心理健康最好的维生素。

正气三分。人要心存正气，要做好人，不能做坏人，不能贪污，不能腐败，越是腐败，死得越快。巴西医生调查了583个贪官和583个廉洁官员。10年随访下来，贪官里面60%以上得癌症、脑出血、心肌梗死；而廉洁官员患病率只有16%，还没有一个死亡的。特别是福利局的16名官员，集体贪污，集体被撤职。平均年龄41岁，随访结果，16人中15个人得了重病，6个人死亡。所以结论一句话：廉洁有益健康，腐败导致死亡。因为腐败的人啊，他恐惧后悔，自责自罪，白天食不知味，夜里寝不能寐，从腐败开始直到被揭露出来，受到惩罚惶惶不可终日，导致身体免疫机能全面下降，极易患病。

　　宽容四钱。一个人要做一番事业，必须心胸宽，肚量大。心胸狭窄，鼠肚鸡肠做不成任何事，有多大肚量就能做多大事业。现代社会，心胸狭窄、不宽容的人，自己受罪，事业也失败。

　　孝顺常想。孝顺是中华民族的传统美德。但现在离婚率越来越高，离婚速度越来越快。很多年轻人价值观变了，他们搞对象的标准和以前不一样了。原来爱情讲究的是真善美，花前月下，美好的爱情可以降血压；现在找对象要俊男靓女、酷哥辣妹，帅要帅呆了，酷就酷毙了。爱情都变麻辣烫了，变成升血压了。

　　有青年人征求我找对象的意见，我就告诉他，你要找对象啊，甭找什么酷哥辣妹，你就先看对方孝顺不孝顺父母。如果他连爸妈都不孝顺，那我先警告你，无论他表面对你多好，你可要小心。因为每一个人都是吃妈妈的奶长大的，对爸妈都不孝顺，那绝对是"白眼狼"。

　　老实适量。老实很好，但要适量？因为社会太复杂了，对方老实，你老实，如果对方不老实，你小心被人骗。谁要是过分老实上当受骗，可别赖八珍汤，因为八珍汤让你老实适量，可没叫你老实过量啊。

　　奉献不拘。像我们的周总理一样，活到老，学到老，与时俱进，不断充电，你才可以奉献社会。

　　回报不求。做好事，不求回报。李瑞环同志说过：但行好事，莫问前程。

　　这八味"药"，怎么配呢，不是一般的机械混合，八味"药"先放在宽心锅内，文火慢炒，不焦不躁；再放进公平钵内研，精磨细研，越细越好。三思为末，淡泊为引，做事三思而行，做人淡泊明志，做成菩提子大小，和气汤送下，清风明月，早晚分服。

　　面对清风明月，夜深人静时，养心八珍汤可以净化心灵，升华人格，陶冶情操，调适心理，做到物我两忘。不以物喜，不以己悲。

　　养心八珍汤有六大功效：第一，诚实做人；第二，认真做事；第三，奉献社会；第四，享受生活；第五，延年益寿；第六，消灾祛祸。

# 心理平衡，"三个正确"

　　*正确对待自己，正确对待他人，正确对待社会。*

　　怎样保持良好的心态呢？只需记住3句话，即三个"正确"：正确对待自己，正确对待他人，正确对待社会。

　　这其中，最难的就是正确对待自己。自己人生的坐标定位要准、要到位，可千万不要越位，也不要错位，还不要不到位，不要自卑。有人把自己过高估计了，有人定错位了，有人不到位，这些都不行，要了解自己。有些人干这个事挺好，可非得去干别的事不可。有人本来搞科研挺好的，可非当领导干部了，这样一下子不行了。人的才能不一样，所以一定要给自己定位准确，做自己想做的事才会快乐。很多很有本事的人最后失败了，为什么？越位。本来您的本事该当第三把手，第三把手地位就够高的了，您还不满足？非要争第一把手，那不行，您错位，肯定就不行。人贵有自知之明，"知人者智，自知者明"，明比智更难。

另外，要正确对待他人，心中常有爱心，关爱他人，正确对待社会。既要全心奉献社会，又要尽情享受生活。事业上要有进取心，生活中要有平常心。人要永远对社会有一颗感激之心，人不论本事多大，您给社会的永远不如社会给您的。因此，您要感谢社会，爱祖国、爱社会、爱集体。从您吃奶开始，衣食住行都是社会给您的，没有社会，绝对没有您的幸福。不信？把您放在沙漠中，放在树林里，您非死不可！

正确对待自己，关爱他人，感激社会，只要做到这点，基本上处事就能得心应手，心理压力就小，什么事都好解决了。

# 良好心态，"三个快乐"

**助人为乐，知足常乐，自得其乐。**

我们还要保持自己三种正直、愉快的心态，或者叫"三个快乐"。第一，助人为乐；第二，知足常乐；第三，自得其乐。

为什么要助人为乐呢？因为帮助人的过程可净化自己的灵魂，升华人格，助人是人生最大的快乐。"爱人者人恒爱之，敬人者人恒敬之。"我管的病房里经常住着一些大款，我经常劝他们，您有钱不要吃喝嫖赌，得了艾滋病，还没有药治，死得更快，您有钱赶紧捐给希望工程。您把钱给老少边穷地区，支援开发大西北，他高兴，您高兴，全社会都好，所以春风得意时要助人为乐，千万不要忘乎所以。有人说，我可助不了人，我没钱，怎么助人？唉，您看谁谁比我更有钱，谁谁比我地位高。我说，您可别这么比，这么比会气死人。他钱比您多，可是他风险比您大，他地位比您高，他压力比您大，事情总是一分为二的。

助人为乐亦是战胜孤独的一把金钥匙。如今，中青年人孤独，老年人孤独，商人孤独，知识分子孤独。有一个富商，买卖兴隆通四海，但常常陷入孤独空虚之中，出现了许多病症，多次寻名医，尝百草而不得其效。最后我们开了一个妙方，让他常常请路边的出租车司机吃宵夜。出租车司机与他萍水相逢，乐在其中；他也尝到了助人为乐的幸福，孤独痛苦不治而愈。

二是要知足常乐。俗语说：比上不足，比下有余。自己有工作，有房子住，儿女也很好，没有必要与别人攀比。比是无止境的，幸福本无固定的标准，幸福是一种见仁见智的感受。

三是在逆境中自得其乐，不能气馁。就是倒霉的时候，要有点阿Q精神，也要快乐，自得其乐。倒霉了怎么还能快乐呢？古今中外，世界上都一样，风水轮流转，人有悲欢离合，月有阴晴圆缺，都说人世间"三十年河东，三十年河西"了。现在变了，改成了"十年河东，十年河西"；最近又变了，改成了"三年河东，三年河西"。因为这个世界变化快，还没弄明白，它又变了。古人说："祸兮福之所倚，福兮祸之所伏。"没有一个人永远走运，没有一个人永远倒霉。巴尔扎克讲过："苦难是生活最好的老师。"您现在倒霉，即便下岗了，但意味着光明就在前面啊，所以您要自得其乐，正确对待自己。李白都说了："天生我材必有用。"当年"插队"造就了多少人才呀！我们现在的儿童太幸福了，但有缺点，最大缺点是没有经过磨难，将来必须补上这一课。如果没有经过磨难，这个孩子不知道什么叫幸福。他认为一切都是应该的，还不够幸福，还觉得难受。经过磨难，他就会觉得能喝点水，喝点可乐都幸福，会觉得爸妈太好了。没有经过磨难，他觉得这个不好吃，那个不好吃，对爸妈也不孝顺。一旦离开家庭，什么叫家庭，什么叫母爱父爱，他全体会到了。天天守着，反而不行，想要成长，必经磨难，这是人生的必修课，不然很多道理他体会不到。我们讲心理平衡，上岁数的容易掌握，年轻人不行，为什么？上岁数的人经过了一些磨难，经过了一些坎坷，体会容易。这些道理，人不到一定岁数，是悟不出来的。

总之，祸福相互依存，苦难是人生宝贵的财富，所以，一个人要保持永远快乐的心情。

# 自我解压，常看三座山

经常看看井冈山、普陀山、八宝山，以后什么气也没有了。

人生在世，不如意之事十之八九，这就要求我们学会自我调节、自我解压、自己解放自己。

要心理平衡，我推荐大家去看三座山，看过这三座山，心理就平衡了，什么气也没有了。现在您说不给我涨工资，我也不再生气了，因为我见到那三座山以后什么气也没有了。

第一座山，井冈山。井冈山给人的教育太深刻了，中国革命了不起的伟大，了不起的困难。前前后后牺牲 2000 万人，还有很多人都是冤枉死的。和他们比，我们活着就是极大的幸福了。真到井冈山一看，当年革命的艰难困苦，血雨腥风，真让人受到教育。

第二座山，普陀山。看看佛的大智慧，大胸怀，大慈悲，这样一比，我们太渺小了，生命太短暂了，还有什么可争的。

第三座山，八宝山。每次我参加一次遗体告别，心灵就净化一次。1 个钟头以后，谁都一样，一把灰了，还争什么啊？很多事根本不值得计较。

诺贝尔奖获得者李政道教授，中科院在北京为他举行 70 岁生日庆祝会时，他讲了两句话，他说："我一辈子做事做人的原则，以杜甫'细推物理须行乐，何为浮名绊此身'两句诗为准则。"仔细地推敲世界上的万物道理，做一些快乐的事情，做一些自己喜欢做的事，不必为了一些空名而放弃自己喜欢做的事。

# 常饮"四君子汤"，保你一生健康

君子量大，小人气大；君子不争，小人不让；君子和气，小人斗气；君子助人，小人伤人。

我们五千年中华文化，博大精深、源远流长，有无数的养生瑰宝，"四君子汤"是其中一朵小花。"四君子汤"组方为："君子量大，小人气大；

君子不争，小人不让；君子和气，小人斗气；君子助人，小人伤人。"本方中，君子的品德有 8 个字：量大、不争、和气、助人，有着极丰富的底蕴和哲理。

量大，海纳百川，有容乃大。现代研究认为：在成功者中，非智力因素，意志、品德、度量等占 80%以上，而智力因素不足 20%。不会做人者，就不会做成事。不争，这是一种高尚的心灵境界，老子说：对不争者，人莫能与之争。属于自己的，不必争，自然会属于你；不属于自己的，争也争不来，争来了，将来会失去更多；对别人的成绩要由衷地赞赏，发自真心地祝贺，不要嫉妒，因为嫉妒别人就是伤害自己的开始。和气，当然要发自真诚，你笑它也笑，你哭它也哭，和气生财。处世要智圆，外圆内方。助人，助人是精神的至高至美境界，助人是快乐之本，要学会与人同享快乐。送人玫瑰，手有余香。

漫漫人生路，风水轮流转。三十年河东，三十年河西。每个人都要面对挑战，面对困难，面对变化。这时由性格、人格形成的心理承受力就是至关重要了。成功使人欣喜，但失败却是成功之母；生活五彩斑斓，但苦难却是生活的老师。所以在风风雨雨人生路上，成败得失是寻常事，要以"青山依旧在，几度夕阳红"的心态坦然面对，心情不要大喜大悲、大起大落，更不能一时冲动，造成千古恨。本来，生活就不会都是阳光鲜花，会有斜风细雨或狂风暴雨，但雨后还是蓝天，一帆风顺是风景，逆水行舟也是风景，这样就会有平和的心态。正如古人所说：人一生的健康和事业实际上都取决于世界观，世界观是个总开关，有了正确的世界观，有了健康的性格、健康的人格，他看到的世界是健康的，他的前途一定是光明的。相反，由病态的性格，病态的人格看到的一定是扭曲的世界，一定是悲观主义者，他的前途一定是暗淡的，古今中外都一样。

马寅初老人，50年代提出人口论：中国960万平方公里，6亿人口正好，不能太多，多了以后，森林不够，土地不够，水资源也不够，粮食也不够。观点非常好，结果挨批判，教育部长撤职，北大校长撤职，人大、政协纷纷撤职。这么大打击还不气死了？本来理论很科学，遭到了不公正的批判，这还不跳楼，死了就算了。结果人家什么事也没有，回家后写了副对联："宠辱不惊闲看庭前花开花落，去留无意漫观天外云展云舒。"最后活到102岁，终于为他平反了。看看这样的胆量啊，这么大的打击，都能坦然面对。

冰心，坎坷一生，99岁。梁启超曾给她题了副对联："世事沧桑心事定，胸中海岳梦中飞。"世界上事沧桑变化，天天折腾，但我心事定，无论你怎么变化，我心里有数，你爱怎么说就怎么说吧！冰心老人说得好：有了爱便有了一切。这句话也可以这样说：常喝"四君子汤"，让你一生都健康。

# 第六部分

## 享受健康　远离疾病

　　近年来，患高血压的人数始终在增多，而控制率仍然偏低。高血压是最常见的心血管病，而心血管病是最常见的人口死因。据世界卫生组织预测，至2020年，非传染性疾病将占我国死亡原因的79%，其中心血管病将占首位。控制高血压，最好的办法是做好一级预防，世界卫生组织提倡的合理饮食、适量运动、戒烟限酒、心理平衡等四大基石，就是最好的预防和辅助治疗措施。

三个半分钟，三个半小时。

夜间醒来在床上睁眼躺半分钟；然后坐起来半分钟；
再双脚垂在床沿半分钟。

早上起来活动半小时，中午午睡半小时，晚上步行半小时。


三平是个宝：

平常饭菜：一荤一素一菇，
　　　　　燕麦瓜果豆腐。

平和心态：不争不恼不怒，
　　　　　爱心宽容大度。

平均身材：不胖不瘦不堵。
　　　　　天天早晚走路。

洪昭光健康箴言

# 让 5000 万人不得高血压

我国现有脑卒中患者 600 余万，其中 75%不同程度致残，每年还新发病 150 万人。在心血管方面的疾病中，由高血压所引发的并发症的比例还是很高。据卫生部门统计，我国现有高血压患者已超过 1.2 亿人，每年还新增 300 万人以上。

## 健康的"第一杀手"

*没有着急，没有烦恼，就没有高血压。*

在国外，高血压被称为 "No.1Killer" 即"第一杀手"，原因是高血压是心血管病的主要危险因素，而心血管病又是人口致残死亡的主要原因。每年投入大量的人力物力进行研究，又有大量的新理论、新药物问世，取得了许多卓越的进步。但遗憾的是，每年又有大量的健康人加入了高血压的队伍。总的来说是：病人越来越多，大家仍需努力。

三个趋势值得注意。

一、注意力前移。过去认为 140mmHg/90mmHg 是高血压，120mmHg/80mmHg 是正常。现在认为正常血压与高血压之间的这一部分人群，尤其是 130mmHg/85mmHg 以上的人群属于易患高血压的高危人群。经三年随访，其中有高达 1/3 的人变成了高血压，即使未进入高血压，他们也比

120mmHg/80mmHg 的人更容易患冠心病和脑卒中。美国学者把他们称为高血压前期，欧洲学者称为正常高值。保护这部分人群，不让他们变成高血压已成为当务之急。他们是最容易受教育、受保护的，投入最少，收效最大。采用"四大基石"，不用花什么钱，就可以使变成高血压的人减少一半以上。而一旦变成高血压，则大多需要终身治疗，不仅耗费巨大，而且一部分将因心脑肾合并症致残致死，何不"今天缝一针，胜过明天缝 10 针"，"一两预防胜过一磅治疗"？

二、更加重视联合用药。过去用药注意单种药，调查发现高血压病人用一种药能控制的人不到一半，一半以上的人需要联合用药。在用药上，使用一些小剂量的复方用药，协同正作用，抵消副作用，使降压效果更强，副作用更小，成为新的趋势。是 1+1=3 或 1+1=4 的效果。所以小剂量复方制剂日益受欢迎。

三、经过长达 20 年研究，发现防治高血压保护靶器官的三个关键因素。

1. 降压幅度。确实把血压降下来。

2. 降压的稳定程度。24 小时内血压反复升降对靶器官是不利的，因此，短效应降压药尽量不用。

3. 降压的同时不要激动肾素血管紧张素系统，使靶器官得到最理想的保护。许多长效药，都有这样的保护作用。

这三关把住了，不但降压的效果好，保护靶器官的效果也最好。

高血压研究已经 100 多年了，自 1896 年发明了血压计，到现在一百多年了，虽然研究成果很多，新药也很多，国产的，国外的，便宜的，贵的，但高血压发病率不但没有下降，人数不但没有减少，反而在升高，控制率也不高，归根结底还是预防不到位。另外，药物还要符合疗效确切，副作用小，稳定降压，价格合理才能被广泛应用。

所以高血压还是应该以预防为主，在预防方面，维多利亚宣言的四大基石作用最大。而四大基石中最重要的还是心理因素。美国心脏病学会奠基人，美国心脏病专家怀特先生曾引用英国谚语说："No hurry, No worry, No hypertension." 意思是：没有着急，没有烦恼，就没有高血压。充分强调了神经系统、精神压力在四大因素中的重要性，当然不是绝对的。高血压是多基因遗传和环境多因素影响，不过，心理确实很重要。

运动方面提倡多走路，人类 600 万年的自然进化，人的体型、脸形、解剖、生理，一切都适合直立行走。步行健身是美国一代名医怀特博士所倡导的，不仅使身体脂肪减少，肌肉增多，线条优美，精力充沛，更重要的是使整个人体体质、体能提高，各种疾病减少。

另外，戒烟可大大降低心肌梗死的危险性。限酒（高血压患者最好不要喝酒，饮酒会增加对降压药的抗药性）。少量酒对健康人有益，但世界卫生组织的建议是：酒，越少越好。

总之，如能按照健康四大基石去做，不仅有理念，还有持之以恒的行动，那么，就能使高血压发病率减少 55%，脑卒中、冠心病减少 75%，糖尿病减少 50%，肿瘤减少 33%，平均寿命延长 10 年，生活质量大大提高。对我国来说，就是高血压病人减少，可以减少 5000 万。

# 高血压健康食谱

膳食结构应像一座春天的花园，百花争艳，满园芳菲，而不应是整齐划一的教条。

膳食作为一种文化，正如艺术一样，没有也不可能有固定的模式，只能有一些基本原则和指南，需因人、因时、因地而异。膳食应品种繁多，花样齐全，兼色香味。膳食结构应像一座春天的花园，百花争艳，满园芳菲，而不应是整齐划一的教条。

高血压病人有胖瘦之分，食谱可分为三类：减肥食谱、日常食谱、节假日食谱。

如果病人肥胖，先要记住：饭前喝汤，苗条健康；饭后喝汤，越喝越胖。

这三种食谱可灵活掌握，交替使用，最关键的一条是保持理想体重。理想的体重是健康的重要指标。超重和肥胖是我国人群监测中致动脉粥样硬化的最强危险因素。

**减肥食谱**：每日总热量 1200~1400 千卡，超重、肥胖的高血压患者适用。

热量 1200~1400 千卡

内容：粮：3 两　　瘦肉类：2 两　　牛奶：250 克

鸡蛋：1 个　　蔬菜：2 斤　　油：15 克　　盐：3 克

分配：

早餐：绿豆麦片粥　　1两

煮老鸡蛋　　1个

香油拌芹菜　　5两

牛奶　　1碗

午餐：米饭　　1两

蒜泥拌白肉（瘦）　　1两

拍黄瓜　　5两

生西红柿　　5两

晚餐：扒鸡（瘦）　　3两

熬白菜（木耳、虾皮少许）　　5两

馒头　　1两

**做法：**

1. 绿豆和薏仁预先泡水一碗。

2. 锅内放5碗水，放绿豆与薏仁煮至熟软。

3. 放入麦片与冰糖略煮3~5分钟。可以热饮或冰凉再食。

绿豆麦片粥容易消化，老少皆宜。

**不胖的患者，日常食谱：** 每日总热量1800~2000千卡，周一至周五的工作日适用。

热量1800~2000千卡

内容：粮：6两　　瘦肉类：2两　　牛奶：250克

鸡蛋：1个　　蔬菜：1斤　　豆制品：2两　　水果：5两

油：20克　　盐：5克

分配：

早餐：燕麦片粥　　1两

煮老鸡蛋　　1个

馒头　　1两

牛奶　　1碗

午餐：米饭　　2两

清蒸鱼　　2两

炒肉丝蒜苗（肉丝半两）　　3两

海带汤　　1两

苹果、香蕉　　共5两

晚餐：玉米粥或豆粥　　1两

窝窝头1两　　肉片冬笋1两（肉片1两）

白菜炖油豆腐　　白菜4两、油豆腐1两

| 材料 | | 调味料 | |
| --- | --- | --- | --- |
| 蒜苔 | 200克 | 盐 | 适量 |
| 肉丝 | 150克 | 酒 | 2大匙 |
| 蒜 | 4粒 | 太白粉 | 1大匙 |
| 油 | 3大匙 | | |

**做法：**

1. 蒜苔切段，蒜拍扁，肉丝加太白粉拌匀。

2. 热锅后放3大匙油加热，先炒蒜与肉丝。

3. 肉丝变色后，放入蒜苔拌炒，加酒、盐拌炒入味，即可盛盘。

**周末、节假日食谱**：每日总热量 2400~2600 千卡。周末、节假日适用。

热量 2400~2600 千卡

内容：粮：8 两　　　瘦肉类：3~4 两　　牛奶：250 克

蔬菜：1~1.5 斤　　豆制品：2 两　　水果：5 两

油：30 克　　盐：7 克

分配：

早餐：燕麦片粥　　　1 两

面包　　　1 两

牛奶　　　1 碗

盐水毛豆半两，香油拌莴笋丝　　　3 两

午餐：咖喱鸡饭　　　3 两

素炒生菜　　　5 两

沙锅豆腐　　　适量

梨、苹果　　　共 5 两

晚餐：排骨汤面　　　3 两

鸡片茭白　　　鸡肉 1 两

浇汁双花　　　3 两

荸荠虾仁　　　3 两

材料　　　调味料

芋头　　　300 克　　　酱油　　　半碗

五花肉　　500克　　高汤　　2碗

蒜　　4粒　　糖　　1大匙

油　　适量

做法：

1. 芋头去皮，切块。五花肉切块。两者分别放入加热的油中过一下。

2. 锅内放入全部的调味料煮沸，放入五花肉用中小火煮15分钟。再放入芋头煮10分钟左右。

材料　　调味料

茭白　　2只　　盐、酒　　少许

鸡胸肉　　100克

胡萝卜　　50克　　太白粉　　1大匙

豌豆荚　　10个　高汤　　2/3碗

蒜　　4粒　　盐　　1小匙

油　　3大匙

做法：

1. 鸡胸肉切片，加盐、酒腌15分钟，加太白粉拌匀。

2. 茭白笋切片，胡萝卜切片，豌豆荚去筋，蒜拍扁。

3. 鸡片放入煮沸的水中烫一下即捞起，胡萝卜与豌豆荚也烫过。

4. 热锅后，放3大匙油加热，放入蒜炒香，倒入茭白拌，倒入高汤后，倒入鸡肉，胡萝卜，豌豆荚拌，加盐调味。

由于各人体重及劳动量不同，热能消耗可相差 1 倍以上，因而含量可相应调整。大致固定后，可以粮换粮，以肉换肉，以豆制品换豆制品，以菜换菜来增加花色品种。如瘦肉类可用瘦猪肉、瘦牛肉、羊肉、鸡肉、各种海鱼、河鱼虾、兔肉、甲鱼等。豆制品可用豆腐、豆腐干、豆腐丝、豆泡、腐竹等。有肾功能不全、糖尿病、痛风者应按病情、按医嘱适当调整。

同时不同品种食物也可互换，例如：主食 1 两＝切面 1 两半＝白薯（红薯、芋头）2 两半＝水果半斤。瘦猪肉类 1 两＝大鸡蛋 1 个＝牛奶半斤＝鱼 2 两＝带骨鸡 3 两＝豆腐豆腐 2 两＝豆制品 1 两。

另外，除常吃粗粮、鱼，豆制品和绿叶菜外，还应注意多进食一些有一定补钙、降脂、抗凝、降压等保健作用的食品，如牛奶、燕麦片、黑木耳、香菇、西红柿、西兰花、洋葱、大蒜、红薯、玉米，胡萝卜、豆芽、荠菜、芹菜、山楂、海藻类食物、苹果等。

节假日或平时常吃些熬得较软的什锦豆粥或各种适合自己口味的粥，不仅营养丰富均衡，还有助于调整妇女更年期内分泌紊乱。苏东坡说：长寿方法很简单，"我得宛丘平易法，只将食粥致神仙"。食物的多样、均衡、适量，对保障纤维素、维生素、微量元素的供给，对人体一生的生长、发育和健康，起着决定性的作用。

# 不要引爆心性猝死的"定时炸弹"

1985 年，华罗庚教授在日本讲学时因心脏病突发猝死在讲台上；国际知名健康教育专家加拿大籍医学家谢华真教授因急性心梗猝死在旅途中；2004 年 4 月 8 日，爱立信（中国）总裁杨迈在健身房跑步机上跑步时猝死，享年 54 岁；2004 年 4 月 19 日，美国麦当劳公司董事长兼首席执行官吉姆·坎塔卢波在上午参加会议时，因心脏病突发去世，享年 60 岁；国外一位著名政治家，在听取汇报时，因心情激动，15 分钟后突发急性心肌梗死，几小时后去世。

## 猝死犹如晴天霹雳

在现代医学上，第一例有明确病历记载和尸体解剖的心性猝死是英国外科医生亨特，他性情暴躁，在一次医院内学术讨论中，因激烈争吵而当场倒地死亡。

迄今为止，国内外尚无统一标准，不同学者所定范围从瞬间即刻死亡直至 24 小时都有。著名国际大型心血管病研究"莫尼卡"方案为了国际统一则定义为 1 小时内死亡、6 小时内死亡和 24 小时内死亡三种，而不统称为猝死，以免标准混乱。由于许多疾病如心、脑、血管、胰腺炎，还有剧烈运动等都可以造成猝死，这里主要谈谈由非外伤性、意外发生的心性死亡，重点为 1 小时和 6 小时内死亡的。

生老病死本如花开花落，是自然现象，但这是指无病无痛，无疾而终的自然凋亡。而中年得病，身心煎熬，人财两空的病理死亡常令人惋惜。如果是中年猝死，则犹如晴天霹雳，无论对亲人或对社会都是人生最大的打击。调查表明：在人生 43 种"生活事件"中，中年丧偶位居榜首，得 100 分（表示最严重）远超过坐牢（63 分），而如果是猝死，得分还要再增加，真可谓肝肠寸断，确非一般人所能承受。

这样就可以理解，为什么猝死的研究受到古今中外学者的普遍关注，直至今天，仍是各国重要的公共卫生难题。早在 2400 年前，《黄帝内经》已有"真心痛……朝发夕死"的记载。考古学发现，长沙马王堆 2100 年前的西汉女尸经解剖，冠状动脉左前降枝有 95%狭窄，胃内有 138 颗半甜瓜子，据推断，可能是该贵妇人一次饱餐后突发心性猝死。而现代医学上，第一例有明确病历记载和尸体解剖的心性猝死是英国外科医生亨特，他性情暴躁，在一次医院内学术讨论中，因激烈争吵而当场倒地死亡。

## 猝死有明确的"引爆"因素

猝死病人的大多数都是有明确"引爆"因素的，其中以过度疲劳，情绪激动，精神压力，酗酒，饱餐，剧烈运动，寒冷，豪饮冰冷饮料等为主。

心性猝死虽然是飞来横祸，但却不是无缘无故；虽然是突然发生，但并不是无原因发生。心性猝死是在有一定内外病理因素上的"爆发"过程，因此它不发生在健康心脏上，不眷顾正常人。应当说，这是一个人人不同的极为复杂、极为精细的，有些迄今尚未清楚的过程。但形象地比喻，心性猝死可以理解为由"定时炸弹"（即基本病理因素）加"引爆操作"（即诱发因素）共同造成的。两者必须兼备，缺一不可。

"定时炸弹"是什么呢？它就是冠状动脉内的粥样硬化斑块及其所造成的心肌不同程度的缺血状态。由于斑块大小不同，位置不同，形态不同，数量不同，而最主要的是稳定性不同，有的表面包膜极薄，斑块内脂质又多，在血流冲击或血管痉挛时很容易破裂，有的很厚，从不破裂。大斑块使血管狭窄超过70%以上就可引起心肌缺血，但这需要以数年计，或几十年计的缓慢过程，而再小的斑块一旦破裂，只要数分钟数小时，即可由血栓形成造成冠状动脉严重的或全部的堵塞，形成急性冠脉综合征、急性心肌梗死或猝死。这可解释为什么有些几十年的老冠心病人还健康生活，不发生急性心梗，而一些年轻病人反倒很快发生急性心梗或猝死，有的甚至生前毫无症状，而一旦突然发病，就是猝死。斑块破裂是急性心肌梗死的主要原因，但临床上常见的30秒内的瞬间立即死亡则是由于心电紊乱造成的心室纤颤（占90%）或心脏停搏（占10%）所造成，其原因是突然的精神心理或体力运动负担造成心肌的严重缺血诱发心电紊乱，心律失常所致。

这里要特别说明的是，冠状动脉粥样斑块、冠心病和冠心病猝死虽是同一性质的病变，但却是程度差异很大的三个阶段。据大宗病理解剖报告，几乎从儿童就可见到主动脉内膜有脂肪沉积，男性30岁以上斑块发展明显加快增多，40岁左右已接近60%，60岁以上约80%左右都有不同程度动脉粥样硬化斑块。但人体有强大的代偿稳定机能，这些并不等于冠心病。临床上，冠心病要根据多项参数综合诊断或冠状动脉造影有至少一枝主干狭窄超过50%以上方可诊断，因此就少得多。而真正发生急性心肌梗死、不稳定心绞痛等心血管事件的，每500~2000人中每年才有1人发生。而以猝死出现的就只占其中的13%~30%左右，就更少了。

而猝死病人的大多数都是有明确"引爆"因素的，其中以过度疲劳，情绪激动，精神压力，酗酒，饱餐，剧烈运动，寒冷，豪饮冰冷饮料等为主。大量流行病学的调查研究中，已充分证明了基本病理病变即"定时炸弹"固然重要，而更重要的是诱发因素，即"引爆"更是起关键作用。所幸，这两者都是可以预防的。

## 从小抓起，少造"定时炸弹"

中年人，动脉已有一定数量的斑块，由于工作紧张，压力大，烟酒过度，不重保养，结果一个个爆炸，成为猝死高发人群。

如果没有炸弹，当然安全；但在军火库，有很多炸弹，而管理严格，却不会爆炸，也同样安全。然而如果只有一枚炸弹，但不小心着火，立即会引发大爆炸。这就解释了为什么在冠心病低发人群或青少年中猝死少，因为他们的动脉硬化斑块少，也即炸弹少；而在70岁以上的老年人，虽然他们动脉硬化斑块很多，也即炸弹多，但猝死也少。为什么呢？因为他们会保养自己，即军火库管理严格，爆炸也少；而中年人，动脉已有一定数量的斑块，由于工作紧张，压力大，烟酒过度，不重保养，结果一个个爆炸，成为猝死高发人群。

因此，猝死的预防一是要从小预防，减少动脉粥样硬化的发生，少造炸弹；二是要善于养生，严防炸弹引爆，最好是双管齐下。

从小预防能有多大效果呢？北欧的"千湖之国"芬兰的北加里略地区，由于居民传统膳食中有大量的胆固醇和动物脂肪，冠心病病死率在全球独占鳌头，小学生中竟有1/3因此而失去父母，后经政府带头重视，大力开展预防。20年后，冠心病病死率直线下降达一半多，被世界卫生组织誉为"北加里略的曙光"。而在发展中国家包括中国，由于预防不到位，冠心病发病率节节上升，而发病年龄不断年轻化，形成鲜明对照，充分说明了健康的"第一杀手"是完全可以控制的。

# 四大杀手，四大朋友

高血压使冠心病发病率达原来的2倍，加上高血脂即达原来的2乘2即4倍，加上吸烟为8倍，如果还有糖尿病，则达16倍之多。

冠心病的形成有四大凶手和四大朋友。悄悄的凶手——高血压；无声的凶手——高血脂；微笑的凶手——吸烟；甜蜜的凶手——糖尿病。这4个凶手心狠手辣，个个能独立致病，但外表却很低调，不引起痛苦的症状，病人常不自觉，直至猝死。4个凶手每个都能使冠心病发病率增加1倍，如果联手，则相乘。比如高血压使冠心病发病率达原来的2倍，加上高血脂即达原来的2乘2即4倍，加上吸烟为8倍，如果还有糖尿病，则达16倍之多。因此对病人务必全面综合防治，才能收效。

　　冠心病还有 4 个朋友，就是合理膳食、适量运动、戒烟限酒、心理平衡。这 4 个朋友一联手，能使发病率减少 50%~75%之多。由于冠心病是一种起源于少年，植根在青年，发展在中年，发病在老年的慢性疾病，因此，每个人都要多交朋友，远离凶手，而且要从小做起，从小事做起，从小地方做起。

# 善待自己，健康第一

　　临床上，约75%的猝死都有一定诱因，约1/3的猝死在发病前 2 天内有胸痛、胸闷、憋气、心慌、极度疲劳等症状，及早发现、及早就诊或休息可以部分预防其发生。

　　世上没有无缘无故的爱，也没有无缘无故的恨，同样，世上也没有无缘无故的猝死。猝死通常都是在原有心脏病的基础上由一些诱因促发而成，是瓜熟蒂落的结果。

　　临床上，约75%的猝死都有一定诱因，约1/3的猝死在发病前 2 天内有胸痛、胸闷、憋气、心慌、极度疲劳等症状，及早发现、及早就诊或休息可以部分预防其发生。

　　诱因有许多，常见的有下面 6 种：

　　1. 持续过度紧张疲劳。动物实验已证明，在幼猴身上，精神压力、睡眠不足可导致动脉硬化、急性心肌梗死、心力衰竭、猝死。最近某医科大学一位副教授在连续 3 天的办公室和实验室工作后，疲惫至极，站起来时，一阵头晕，倒地死亡。在夏天，连续高温，酷暑难耐，就有多位司机因过度疲劳，猝死在方向盘上。因此，日常工作不宜提倡废寝忘食，带病工作，而应一张一弛，文武之道。

2. 大喜大悲，大惊大恐。这是造成各种心理失常、早搏的最常见诱因，有的发生在当时，有的在几小时或一两天后。一位中年男性，某日有领导找谈话要其交待问题，当晚尽管月明星稀，但他一夜辗转未眠，次日上午工作时，突然心脏骤停。这就是因为恐慌而造成的心理反应，极度恐慌，心跳加速直至猝死。

3. 酗酒与饱餐。这两者都能造成心跳加快、血压升高、心肌耗氧增多，诱发心律失常。一位房地产老总，因上级参观，兴奋之余，酒量倍增，连饮白酒至深夜两点，天亮时心肌梗死，失去生命。酒精能诱发动脉硬化斑块破裂，是非常危险的因素。

4. 过量运动。过量运动可伤害身体，诱发猝死，而且立竿见影，还不如不运动。一位老人，用力搬书时，一憋气，心跳骤停，成了植物人。一位干部，平时打网球没有任何不适，一次进行比赛，奋力拼搏，突发严重心绞痛，及时抢救后转危为安。因此适量运动助人，过量运动伤人，运动应因人而异，动静相宜。谨记"三不"：不攀比，不争强，不过量。

5. 豪饮冷饮。酷暑天，豪饮冰饮料也是近年心梗常见诱因，因食道在心脏后面，胃在心脏下面，心脏表面受寒冷刺激可诱发冠脉痉挛。一位29岁青年，下班途中在一小店豪饮冰啤1升，半小时后急性下壁心肌梗死。

6. 谨防两个"死亡三联症"。一是"冬天凌晨扫雪"，二是"饱餐、酗酒、激动"。这6个因素都是猝死诱因，但一旦联合在一起，则危险性大大增加。这也就是为什么各国每年猝死最多的日子大多是在冬天下雪后的第二天上午，另外，饱餐酗酒与激动更是常见的猝死诱因组合。

所以，大多数情况下，猝死是可以避免的，因为，健康是争取出来的，建设出来的，培养出来的，保卫出来的，从根本上说，健康的生活方式与健康心态是百岁健康人生的钥匙，而钥匙就在你手中。

# 仲夏保健最重要

仲夏是一年四季中"阳气"最盛的时节，按"天人合一"，"阴阳平衡"的观点，这自然是一个容易患病的时节。流行病学研究表明：心脑血管病每年有两个发病高峰：数九隆冬和仲夏酷暑，这是医学气象学中"气象综合征"中的常见现象。

## 老年心血管病人有"三高"

中暑发病高，脑卒中发病高，冠心病事件发病高。

仲夏时，心血管病人，尤其是老年心血管病人有三高，即：中暑发病高，脑卒中发病高，冠心病事件发病高。

正常人体有完善的体温调节机能，天冷时通过肌肉张力增加使产热增多，体表血管收缩使散热减少；天热时，通过出汗蒸发散热，又通过心跳加快，皮肤血管扩张使体表血液循环加快，辐射散热增多，因此不论外界温度怎样变化，人体体温是恒定的，当然还需要配合衣帽的增减。

老人，尤其有心脑血管病的老人，由于体温中枢调节、植物神经功能、心脏功能、肌肉张力、毛细血管及汗腺功能的调节减慢，在外界温度变化过大过快时，难以及时调整到位，故当外界气温高热或过高热时，体温随之升高，很容易发生中暑。在高温伴高湿情况下，即天气闷热时，由于空气湿度大，汗液的蒸发散热作用受限，体温升高更快，不仅人体感觉胸闷不适而且更容易发生中暑。这种中暑的预防主要在于减少外出，减少体力活动和调控好室内的小气候。

热天出汗多，一身微汗失水可达 300~500 毫升，一身中汗可达 1000 毫升以上，如不及时补充水分或淡盐水，盐浓度到 0.3%时，会导致血液浓缩，血黏度上升，并可使血压稍稍下降。根据对 5888 名 65 岁以上老人的研究表明，餐后 1~2 小时，收缩压平均下降 3.8%，舒张压平均下降 2.3%，这种情况在饱餐后尤为明显。血压下降和血黏度上升是脑卒中、冠心病事件的重要诱因，因而老人充足饮水对预防心脑血管意外极为重要。晨起一杯水，睡前一杯水应作为保健常规。特别要注意清晨醒来时的第一次尿色，如淡黄清亮表示体内水分充足，如量少深黄表示体内水分不足，应及时补充。

# 仲夏保健好方法

酷暑季节人们心情容易烦躁，更需注意保持好心情，即好心加好情，好心是爱心、善心、真心，好情是友情、亲情、爱情。

每天 8 小时睡眠是老人健康的又一重要保证。研究表明：每减少 1 小时睡眠，死亡率约增加 9%，但睡眠过多也使死亡率增加。据欧洲一些国家研究，老人中午午睡半小时左右能使冠心病的死亡率下降 30%，这与午睡使人体白天的血压曲线出现一个低谷，使心脏得到保护有关。当然老人起床时一定要牢记"三个半分钟"，在夏天由于人体血压普遍偏低，更要注意防止体位性低血压。

饮食的清淡、少油腻，易消化，多食新鲜蔬菜水果和少量多餐，生活规律等也很重要。

酷暑季节人们心情容易烦躁，更需注意保持好心情，即好心加好情，好心是爱心、善心、真心，好情是友情、亲情、爱情。有了好心情，会感到阳光更明媚，天空更湛蓝，什么病都少，一切更美好。"春有百花秋有月，夏有凉风冬有雪，若无闲事在心头，人生都是好季节。"好心情胜过保健品。夏日防暑降温时，可用冷饮，但切忌豪饮冰啤、冰水，这是常被忽略的急性心肌梗死诱因。因为食道位于心脏后壁，胃底位于心脏下壁，豪饮大量冰水可诱使心脏表面冠状动脉痉挛，导致急性心肌缺血。曾见有一些年轻人一时高兴，豪饮冰啤而突发急性心梗而遗憾终生。

祖国医学有冬病夏治之说，仲夏保健好，冬至发病少。

# 秋风红叶话秋补

## 一叶知秋，未雨绸缪

不久前美国哈佛大学医学院提出，秋天光照的减少与季节性情感抑郁症有关，并可用人造日光给予治疗。

天高云淡，金风送爽，月明风清，桂花飘香。重阳节前后，人们登高望远，遍插茱萸，饮菊花酒，吃桂花糕，正是平分秋色的大好时光。

但此后，与春夏阳气上升不同，随着阳光日照时间的缩短，阴气渐增，秋天显出了自己的特色。秋，带有几分肃杀，"萧瑟秋风今又是"；又有几分悲凉，"万里悲秋常作客"；还有几分忧郁，"秋风秋雨愁煞人"。

古人造字真为精彩绝伦，把"秋"字加上"心"变成"愁"字，意指秋天的心情常有"愁"的滋味。事实正是这样，这与不久前美国哈佛大学医学院提出的秋天光照的减少与季节性情感抑郁症有关，并可用人造日光给予治疗的结论不谋而合，几乎如出一辙，不同的是中国人的发现要早4000年左右。

# 人体生理与廿四节气

古人说"春夏养阳，秋冬养阴"，就是告诉人们，一叶知秋，要早做准备，及早"养阴"。

春夏秋冬，四时交替。古人根据太阳在黄道上的位置，将全年分为二十四个节气，表明气候、物候、人体生理的变化规律，用以指导农事生产和养生保健，至今仍有重要实用意义，是我国古代杰出的科学成就之一。

秋季六个节气是：立秋、处暑、白露、秋分、寒露、霜降，表示气候由热转凉进入"阳消阴长"过渡期，位置也从处于太阳黄经的135度逐渐转至225度，气温也由"立秋"时秋高气爽转至"霜降"时最低气温0℃左右的"露凝结为霜而下降"。古人认为"霜者丧也，阴气所凝，其气惨毒，物皆丧也"，所以将丧夫的妇女称为遗孀。

从现代医学角度看，秋季及初冬的气候特点是：光照减少，日短夜长，仅9月份，光照就减少75分钟；气温下降，温差增大，北京地区日夜温差达11~15℃；空气干燥，湿度偏低，湿度仅30%左右。自然的变化使人体也发生相应变化：万物凋零，秋风肃杀，让人徒生悲凉、抑郁之感；气温下降，四肢，尤其足部远端毛细血管收缩，皮肤温度下降；血压升高，血黏度增高，代谢增高，心脏耗氧增多，易促发心脑血管疾病。气温下降及空气干燥会降低呼吸道黏膜抵抗力，细小支气管阻力增加，黏膜纤毛运动减少，使感冒、支气管炎、哮喘增多。同时腹部及背部受寒也会诱使胃炎、溃疡发作。总之，人体机能发生全面相应变化：血管收缩，血压上升，血黏度增高，代谢加快，产能增多。机体需要补充更多食物和能量，以提高耐寒和抗病能力。在动物界，动物贮存食物，进食增多，体毛变细变密，长秋膘，都是为了过冬做准备。古人说"春夏养阳，秋冬养阴"，就是告诉人们，一叶知秋，要早做准备，及早"养阴"。

# 营养补充，增强免疫力

简单说来，就是吃肉后，身体会觉得暖和，不怕冷，尤其在餐后的 3~4 小时及 10 小时左右最明显。

人体在外界气温 21~23℃时，感觉最舒适，四肢温暖。秋冬气温下降后，为维持体温，一面使四肢小血管收缩，减少散热，一面增高体内代谢率，增加产热，因此需要更多食物和热量供给。多吃什么呢？米面、肉蛋，还是蔬果？生理学研究表明：蛋白质有一种"特殊热动力效应"，即摄入蛋白质后，有 30%~40% 的热量要消耗放出，而糖类为 4%~5%，脂肪为 5%~6%。简单说来，就是吃肉后，身体会觉得暖和，不怕冷，尤其在餐后的 3~4 小时及 10 小时左右最明显。同时，吃肉会使酪氨酸转化成肾上腺素，去甲肾上腺素和多巴胺，人觉得精神、兴奋、有气力。当然，秋补的营养应当是七种营养素全面均衡才能提高体质、体能及免疫力。我国神舟 6 号飞船航天员的食谱中每天有 3 次牛奶，早晚为牛奶，中午是酸奶（可以改善肠道菌群状态，帮助消化，又不因晚间饮用而伤害牙齿），是十分科学合理的。

# "秋冻"适应，提高耐寒力

耐寒力分"冷适应"与"冷习服"。前者约需 2~4 周时间，后者需几代人。"春捂秋冻"即是聪明的古人从实践中总结出来的科学的冷适应。

同样的寒冷天气，人体的反应大不一样。有人严冬冬泳，精神振奋，面色红润，有人稍一吹风，感冒肺炎。爱斯基摩人在皑皑白雪中，以冰块筑屋，其乐融融，而前几年一次寒流袭击印巴等国，气温降至零上 5℃时，竟有许多人被冻死。其原因是人体的耐寒力不同。

耐寒力分"冷适应"与"冷习服"。前者约需 2~4 周时间，后者需几代人。"春捂秋冻"即是聪明的古人从实践中总结出来的科学的冷适应。俗话说"若要身体安，三分饥和寒"。

2000 多年前，《黄帝内经·素问》指出："四时阴阳者，万物之根本。""圣人春夏养阳、秋冬养阴，以从其根"，并提倡要"早卧早起，心鸡俱兴"。在晚秋"月落乌啼霜满天"时，不应忙着加衣服，要顺应"秋天阴精内蓄阳气内收"的养生需要。从现代医学讲，就是通过"冷适应"使机体从大脑皮层到交感、副交感神经，代谢内分泌系统充分调动起来，协调起来，和谐运行，不仅产热增多，散热减少而且免疫力增强，代偿力增强。具体来说，冷空气使鼻、咽、口腔黏膜毛细血管收缩，气管黏膜纤毛运动减弱，抵抗力下降，很容易感染细菌病毒，但冷适应后，这种应激反应减弱或不明显。一旦真正着凉，也可用热水泡手脚和洗脸，吃热汤面或中药，使鼻咽部无毛细血管扩张，血循环改善来保护。保持口腔清洁是防止秋冬上呼吸道感染一大关键。